Kirch höfe
Zeil
Große Bleich Gart.
B
Pfingst Weide
Allerheiligen Thor
Dammstraße nach Hanau
Metzger
Bruch
Begräbnißplatz der Juden
Holzhof d. Juden
Rechenei
Graben
Fischerfeld
Straße
Schöne Aussicht
Bauholz Lager
Fischer -
- Feld
Obermain Thor
Am Allerheiligenmain
Bausteine u. Platten Lager
F L U S S
Main Brücke
Wehr
Brücken Mühle
Bleichen
Holzmagazin
SACHSENHAUSEN
Kirchhof
Affen Thor
Weg nach der Gerbermühle

# Frankfurt 1822

# und heute

Von Heinrich Heym und Wolfgang Klötzer

Mit Federzeichnungen von Ferry Ahrlé

und Farbaufnahmen von Klaus Meier-Ude

Im Verlag von Waldemar Kramer Frankfurt am Main

ISNB 3-7829-125-8

Die historischen Vorlagen hat freundlicherweise das Historische Museum, Frankfurt am Main, zur Reproduktion zur Verfügung gestellt

Vorderes Vorsatzblatt: Geometrischer Grundriß der Freien Stadt Frankfurt aus dem Jahre 1822 von C. F. Ulrich.
Hinteres Vorsatzblatt: Derselbe Ausschnitt der Innenstadt nach einem Plan des Stadtvermessungsamtes Frankfurt a. M. aus dem Jahre 1972.

Druck von W. Kramer & Co. in Frankfurt am Main

Der Vaterstadt gewidmet
von der
Frankfurter Sparkasse von 1822
(Polytechnische Gesellschaft)
anläßlich ihres 150 jährigen Bestehens
am 12. Juni 1972

# Frankfurt am Main im Jahre 1822

Aufgrund authentischer Quellen in Briefform geschildert
von Wolfgang Klötzer

Briefe sind die ursprünglichsten Äußerungen. Sie gehen den Zeitungen und Abhandlungen voraus. Besonders in der Biedermeierzeit wurden sie als literarische Gattung kultiviert und zur Mitteilung der unterschiedlichsten Sujets fingiert. Auch die folgenden Briefe sind Fiktion, aber ihr Inhalt ist nicht erfunden, sondern beruht auf der Auswertung von über hundert Quellenschriften. Der Kenner wird die Zitate unschwer identifizieren, dem Laien sagt der Nachweis wenig, weshalb darauf verzichtet wurde, um die Lektüre nicht zu belasten.

Nicht alles, was in diese Briefe einging, ist, abgesehen von den Ratsprotokollen, Zeitungen (Oberpostamtszeitung, Intelligenzblatt, Beobachter am Main und Rhein, Iris), Staats- und Adreßkalendern, 1822 geschrieben. Wir haben Quellen aus der Zeit zwischen 1810 und 1850 verwertet, aber nur das, was für 1822 gelten konnte, aufgenommen. Die genaue Kenntnis der in den letzten hundert Jahren entstandenen Untersuchungen zur allgemeinen Geschichte (Stricker, Schwemer, Valentin) und zu Verfassungs-, Kultur- und Wirtschaftsfragen hat uns dabei auf den Weg geführt.

Vielen sind die „Ansichten von Frankfurt a. M.“ von A. Kirchner (1818) bekannt. Von gleichem Quellenwert sind das 1818 anonym erschienene „Gemälde der Freien Stadt Frankfurt“, die „Lahn- und Maingegenden“ von J. J. von Gerning (1821) und das „Skizzierte Gemälde von Frankfurt a. M.“ von W. Reineck (1822). Selbst Goethe hat, wie man weiß, zur Frankfurter Ortsbeschreibung nicht nur in „Dichtung und Wahrheit“ beigetragen („Kunstschätze am Rhein, Main und Neckar 1814 und 1815“).

Die meisten „Baedecker“ der Zeit hat Robert Diehl zusammengestellt („Frankfurt a. M. im Spiegel alter Reisebeschreibungen“, 1939), darunter die trefflichen Schilderungen von Johanna Schopenhauer 1815/1828, C. A. Fischer 1821, J. L. von Meyer 1821, K. J. Weber 1828, J. L. Deinhardstein 1831, K. A. Wild 1831, E. Beurmann 1832, und unter den späteren Victor Hugo, William Chambers und Hector Berlioz. Man darf sich allerdings mit den Auszügen Diehls nicht begnügen, die Mitteilungen der Autoren sind viel reicher. Vergessen wir nicht die Frankfurter Erinnerungen (Belli-Gontard, Jügel, Reiffenstein, Struwwelpeter-Hoffmann, Schenck, Hoff u. a.), die Briefsammlungen und Biographien, die Werke von Friedrich Stoltze (auch seine Biographie von Proelß, die ein vorzügliches Zeitbild ist) und endlich die Zeitkritiken, als deren bedeutendste die von Ludwig Börne (Sämtl. Schriften, 1964) und Johann Konrad Friederich (dessen Biographie von Ebrard-Liebmann, 1918) hervorzuheben sind.

Für die Bilder im Text dienten zeitgenössische Ansichten von J. F. Morgenstern als Vorlage.

## Verzeichnis der Briefe


| | |
|---|---|
| 20. Januar 1822: | Ankunft mit der Postkutsche, Hotel, Gastronomie, Lebenshaltungskosten, Bundeshauptstadt, Bauspekulation, Einwohnerzahl, Stein in Frankfurt, Goethedenkmal, Goethehaus. |
| 20. Februar 1822: | Karneval, Theater, Verschuldung der Stadt, Kriegsschicksale, Dalberg, Befreiung, Freie Stadt, Stadtgebiet, Staatsverfassung, Unpolitisches Bürgertum. |
| 14. März 1822: | Kirche, Unterrichtswesen, Polytechnische Gesellschaft, Sparkasse, Senckenbergische Naturforschende Gesellschaft, Stadtbibliothek, Städelsches Kunstinstitut, Private Sammlungen, Gesellschaftliche Zirkel, Museumsgesellschaft, Casino, Lesegesellschaft, Logen, Kollegien, Kaffeehäuser, Wirtschaften, Familienzirkel, Bibelgesellschaft. |
| 29. April 1822: | Frühjahrsmesse, Politische Lage, Bedeutung der Messe, Meßbelustigungen, Rückgang der Buchmesse, Zwischenhandel, Weinhandel, Bank- und Wechselgeschäft, Börse im Braunfels, Frankfurter Kaufleute, Bethmann, Rothschild, Fehlen der Industrie, Handwerk, Zunftzwang, Arbeitskräftemangel, Allgemeiner Wohlstand, Milde Stiftungen. |
| 29. Mai 1822: | Frühling in Frankfurt, Klima, Pfingsten, Promenaden, Gärten, Villen, Wäldchestag, Kleeblattsche Schwimmanstalt, Turnwesen, Überfahrt zum Sandhof, Niederrad, Oberforsthaus, Torsperre. |
| 17. Juli 1822: | Stadtbesichtigung, Konstabler Wache, Hauptwache, Bundespalais, Altstadt, Römer, Altstadtkirchen, Dom, Astrolabium, Uhren, Rundblick vom Domturm, Altstadtgassen, Judengasse, Judenfriedhof, Leben in der Altstadt, Brunnen, Gründung der Sparkasse. |
| 21. August 1822: | Schöne Aussicht, Blick von der Brücke, Leben auf dem Main, Sachsenhausen, Mühlberg, Oberrad, Sachsenhäuser Warte, Sachsenhäuser, Frankfurter, Juden. |
| 17. September 1822: | Hessendenkmal, Bethmannsches Museum, Ariadne, Bornheim, Ginnheim, Bockenheim, Hausen, Rödelheim. |
| 19. Oktober 1822: | Konstitutionsfest, Weinlese. |
| 1. November 1822: | Musik in Frankfurt, Cäcilienverein, Mendelssohn. |
| 19. Dezember 1822: | Weihnachtsmarkt, Abfahrt mit dem Mainzer Marktschiff. |

Frankfurt am Main, den 20. Januar 1822

Lieber Freund, nun bin ich also glücklich in Frankfurt angekommen, um unsere Wette zu erfüllen, daß es mir, dem die wenigsten Städte Europas unbekannt geblieben sind, auch in der Metropole am Main nicht langweilig werde, und zwar durch ein ganzes Jahr hindurch, worüber ich Dir treulich berichten will. Es ist schon einige Tage her, daß mich die Fahrende Post im Rahmhof abgesetzt hat, wo neuerdings ausgeschirrt wird, nachdem sich das ehemals dort befindliche Zeughaus erledigte. Ich habe sagen hören, daß die Franzosen nicht nur die Geschütze der einstigen Reichsstadt, sondern auch Tausende von mittelalterlichen Rüstungen, die sich noch dort befanden, eingezogen und eingeschmolzen haben.
Die dreitägige Fahrt von Köln war für die Reisegesellschaft, die sich in der Diligence zusammengefunden hatte und es sich bei den beengten Verhältnissen so bequem wie möglich zu machen suchte, in Anbetracht der winterlichen Witterung nichts weniger als genußreich, und oftmals fürchteten wir, auf den vereisten Gebirgsstraßen aus dem Coupé geworfen zu werden. Ich atmete auf, als wir mit der Limburger Post Wiesbaden erreichten und nach abermals fünf Stunden die Türme Frankfurts uns aus dem selbst zur Mittagszeit nicht völlig gelichteten Nebel entgegenwuchsen. Du wirst es mir nachfühlen, mit welcher Freude ich im Hotel Weidenbusch, das nur ein paar Schritte von der Poststation entfernt liegt, die Beine ausstreckte, nachdem ich zwei Nächte wenig oder gar nicht geschlafen hatte.
Der Weidenbusch, Ecke Steinweg / Comödienplatz, in dem wenigstens 400 Fremde einlogiert sind, gehört zu den größten und elegantesten Gasthöfen der Stadt. Zur Mittagstafel zählte ich an 500 Personen, und es war noch Platz für weitere 200. Noch besuchter ist der Abendtisch. Es speisen dann von sieben Uhr bis Mitternacht regelmäßig zwölf- bis vierzehnhundert Personen jeglicher Nationalität an der Table d'hôte. Dabei ist der Betrieb aufs bequemste und vorteilhafteste organisiert, daß dank der Umsicht des Hoteliers alles wie am Schnürchen geht. Noch ist es vergleichsweise ruhig, und doch zählt die Dienerschaft 70 Köpfe. Während der zweimal jährlich stattfindenden Messe muß sie verdoppelt werden. Dann ist für die 85 Gasthöfe in Frankfurt und seiner Vorstadt Sachsenhausen die wahre Erntezeit. Allein die Zimmer des Weidenbusch bringen dann täglich 500 Gulden ein, und nicht anders ist es im Römischen Kaiser, im Englischen Hof, im Weidenhof und im Schwan, die in ihrer Eleganz miteinander wetteifern. So allein ist es erklärlich, daß ein erstklassiges Haus jährlich 8000–9000 fl. Pacht zahlen und dennoch seinen Mann reich machen kann.
Nach den wenigen Tagen hier im Weidenbusch, der mit dem ewigen Kommen und Gehen der Gäste fast wie eine kleine Stadt erscheint, wundert es mich nicht mehr, daß Frankfurt für die Hohe Schule der Gastronomie gilt. Um nur von dem Materiellsten zu reden, so glaube ich nicht, daß, Wien und Hamburg ausgenommen, irgendwo besser gegessen wird. Es scheint mir sogar, als hätte sich die Frankfurter Küche das

Vorzüglichste jener beiden anzueignen und noch mit den Feinheiten der französischen zu vermehren gewußt. Ich werde im Weidenbusch nicht lange bleiben können, ohne Gefahr zu laufen, meinen gesamten Reiseetat vor der Zeit zu verbrauchen, denn das Leben in Frankfurt ist sehr teuer, wozu nicht wenig die Anwesenheit der Gesandten der Deutschen Bundesversammlung beiträgt, die mit viel Pomp residieren und die Stadt mit ihren stolzen Karossen erfüllen, die livrierten und goldbetreßten Diener kaum weniger prunkvoll ausstaffiert als die Diplomaten in ihren glänzenden Uniformen. Die Nachfrage nach allen Gütern des täglichen Lebens ist enorm, und ich habe mir sagen lassen, daß selbst die Gemüsefrauen aus dem Vorort Oberrad von Jahr zu Jahr ihre Produkte mit größerem Gewinn auf den Markt bringen können.
Vor 30 Jahren galt Frankfurt für eine der wohlfeilsten Städte in Deutschland. Nun ist es gerade umgekehrt. Man lebt hier wenigstens fünfmal teurer als in einer gewöhnlichen Mittelstadt. Eine kleine Wohnung zum Beispiel, wie sie eine kinderlose Haushaltung braucht, zahlt jährlich 300 fl. Miete, ohne eben vorzüglich zu sein, eine familiengerechtere 500–600 fl. Da ist es nicht zu verwundern, wenn mancher Gesandte 5000–6000 zahlen muß. Mit diesen Preisen stehen alle übrigen mehr oder weniger im Verhältnis. Ein Alleinstehender, der in Frankfurt jährlich 1200 fl. hat, reicht eben zur Notdurft damit aus, versteht sich, wenn er recht haushälterisch ist. Mit 2000 fl. mag man schon anständiger leben, doch muß man noch immer sparsam sein, mit 3000 endlich kann man anfangen, sich dann und wann ein wenig sehen zu lassen, erst von 5000 an wird man für wohlhabend gehalten, aber nur mit wenigstens 10 000 wird man zu den Reichen gezählt. Gewiß läßt es sich in den drei zierlichen Städten Nordamerikas, die ebenfalls den Namen Frankfurt tragen, wohlfeiler leben.
Aber die Residenz so vieler deutscher und fremder Gesandtschaften mit ihren zahlreichen Familien und der anhängenden großen Dienerschaft, zusammen wenigstens 500–600 Seelen, bringt Frankfurt auch materiellen Vorteil. Freilich klagen die Frankfurter Hausfrauen, daß die Herrschaften den Spargel und den Blumenkohl sehr verteuern und daß bei den Metzgern keine Lenden mehr zu bekommen sind. Auch ist es der Frankfurter Gesellschaft gar nicht recht, daß die Gesandten und Gesandtinnen die besten Logen im Theater besetzen. Aber eine Frankfurter Bankiersloge dicht neben einer Gesandtenloge ist doch ein beneideter Gegenstand. Und schließlich ist nicht zu leugnen, daß die vielen hochdotierten Diplomaten und Beamten des Bundestags ein schönes Stück Geld unter die Bürgerschaft bringen. Man spricht von 1 Million Gulden jährlich.
Trotz der wenig einladenden Witterung habe ich es nicht unterlassen können, mir einen ersten Eindruck von der Stadt selbst zu verschaffen, die sich, nachdem sie mit der alten Reichsherrlichkeit auch alles Altfränkische, besonders die häßlichen und hinderlichen Stadtmauern, abgestreift hat, zu einer modernen Metropole entwickelt. Noch ist alles im Fluß, aber man spürt deutlich, daß Frankfurt nicht nur eine der reichsten, sondern

Zeil mit Paradeplatz

auch eine der schönsten Städte Deutschlands geworden ist.
Zwar liegt der Roßmarkt mit seinen schönen Neubauten des hier sehr beliebten und vielbeschäftigten französischen Architekten Salins de Montfort noch etwas außerhalb des Verkehrs, der sich vor allem vom Allerheiligen zum Bockenheimer Tor zieht und in der am Paradeplatz beginnenden Zeil die über Frankfurt weit hinaus berühmt gewordene Hauptstraße findet. Sie ist die längste, breiteste und ansehnlichste Straße Frankfurts, zugleich der Corso aller Dandys und der vornehmen Welt. Hier zeigt sich das moderne Frankfurt am augenfälligsten nicht nur in den herrlichen, in einem edlen Stil erbauten Palästen, die vor allem die Nordseite säumen, sondern auch in den prächtigen Läden und wohlsortierten Magazinen, die angefüllt sind mit allem, was das Leben zum Schmuck und seiner Erhaltung fordert. Selbst in dieser Jahreszeit wimmelt die Straße von wohlgekleideten Personen jeglichen Alters, herrscht in den Etablissements ein unbeschreibliches Gewühl von Menschen aller Klassen und Nationalitäten, deren Kauflust Frankfurt auch außerhalb der Messezeit mit Recht als die eigentliche Handelsmetropole Südwestdeutschlands erscheinen läßt.
Das neue Frankfurt zeigt sich nicht weniger in der gleichwohl viel ruhigeren Neuen Mainzer Straße, wo sich die reicheren Frankfurter auf den parzellierten früheren Festungswerken ihre durch Schönheit und Ebenmaß von außen und gediegene Einrichtung im Innern ausgezeichneten palastähnlichen Häuser bauen. Ihre äußere Reihe hat den Vorteil hübscher, zum ehemaligen Glacis geneigter Gartengrundstücke und darüber hinweg den Taunusblick für sich. Ein nicht weniger beliebtes, wenn auch nicht so exklusives Neubaugebiet liegt oberhalb der Brücke an der sogenannten Schönen Aussicht.
Mit Einschluß von 268 Häusern und Höfen in der Gemarkung zählt Frankfurt jetzt 3600 Häuser, 600 mehr als vor 30 Jahren, deren Gesamtwert

auf 60 bis 70 Millionen Gulden angeschlagen wird. Darin leben 42 800 Einwohner (einschließlich 5000 Sachsenhäuser, aber ohne das Bundespersonal), nämlich 30 000 Lutheraner, 2000 Reformierte, 5600 Katholiken und 5200 Juden.
Es wird in Frankfurt noch immer ungemein viel gebaut, und die Spekulation soll sehr einträglich sein. Die Kapitalisten legen dabei ihr Geld auf 6–8 Prozent völlig sicher an. Mehrere beziehen dann diese Interessen in Natura, d. h. sie sind Mietsleute auf eine lange Reihe von Jahren, ja auf Lebenszeit. In diesem Falle richten sie sich ihren Stock nach Belieben ein. So werden eine Menge Häuser mit fremdem Geld gebaut, zumal solche Hypotheken keine Schande sind. Mancher wird durch dergleichen Unternehmungen zum reichen Mann, besonders wenn er mit Glück zu verkaufen versteht.
So nimmt es nicht wunder, daß immer mehr Fremde in Frankfurt Wohnung nehmen. Einer der prominentesten ist der Freiherr vom Stein, der wenigstens die Wintermonate regelmäßig in Frankfurt verbringt. Frankfurt dankt ihm seine Erhaltung als selbständiges Staatswesen und hat ihm dafür 1816 die Würde eines Ehrenbürgers verliehen. Aber, wie man hört, lebt der Minister in dem ebenfalls von Salins erbauten Palais des Bankiers Mülhens am Eschenheimer Tor ruhig und einförmig, ohne am gesellschaftlichen Leben Frankfurts teilzunehmen. Das Getreibe des Bundestags ist, wie man sich denken kann, nicht nach seinem Geschmack, sowenig wie das Profitstreben der Frankfurter Kaufmannschaft. Ganz vom vaterländischen Geist erfüllt, hat er indes hier in Frankfurt, gestützt auf wenige Gleichgesinnte, wie die Senatoren Willemer und Thomas und den Rat Schlosser, im Einvernehmen mit berufenen deutschen Historikern und Germanisten vor drei Jahren die Gesellschaft für ältere deutsche Geschichte begründet, die es sich zur Aufgabe macht, die ältesten Dokumente der deutschen Geschichte im Druck zu veröffentlichen. Noch ist kein Band erschienen, und ich fürchte, der Paladin des nicht erschienenen deutschen Kaisers wird in Frankfurt wenig Subskribenten finden.
Ebensowenig will es der kleinen Schar von Verehrern Goethes, die dem Dichter nach der Aufkündigung seines Frankfurter Bürgerrechts in der Vaterstadt verblieben ist, gelingen, die Beiträge für ein nationales Goethedenkmal auf der Mühlinsel am Untermaintor zusammenzubringen, und schon erscheinen spöttische Pamphlete und Karikaturen, die sich darüber lustig machen, daß die Frankfurter es nötig haben, in andern Städten dafür betteln zu gehen. Man sollte aber doch auch bedenken, daß Goethe zumindest bei unserer Jugend nicht mehr so viel gilt und er selbst sein Denkmal lieber in der Frankfurter Stadtbibliothek, deren Grundstein kürzlich am Obermaintor gelegt wurde, zu sehen wünschte, und zwar in Gesellschaft mit den Bildnissen anderer verdienter Frankfurter Mitbürger. Gleich wie die Sache ausgehen wird, mich zog's schon in den ersten Tagen meines Hierseins zu seinem Geburtshaus in den Großen Hirschgraben. Zwar prangt noch das Goethesche Familienwappen mit seinen drei Leiern über dem Eingang. Man zeigt auch auf besonderen

Gallusanlage

Wunsch die Mansarde, in welcher Goethe wohnte und wo die ersten und herrlichsten seiner Werke entstanden. Aber es stimmt doch traurig, daß das Haus weder im Besitz der Familie geblieben noch in die Obhut der Stadt Frankfurt genommen worden ist, daß vielmehr fremde Menschen darin wohnen.
Nun genug fürs erste aus der gewesenen Wahl- und Krönungsstadt, die gar nicht ungehalten ist, als Sitz der Bundesversammlung auch weiterhin für die „heimliche Hauptstadt" Deutschlands zu gelten, auch wenn die Einigung der deutschen Stämme, wie wir sie in den Freiheitskriegen ersehnt haben, mehr denn je in nebulose Ferne gerückt ist. Ein andermal mehr zu diesem Thema.
Heute abend gehe ich ins Theater, das, wie man sagt, besonders in seinen Opernaufführungen mit den besten deutschen Bühnen konkurrieren kann. Man gibt „Die diebische Elster" von Rossini. Schon bietet der Comödienplatz, den ich von meinem Fenster überblicken kann, ein herrliches Bild in seiner abendlichen, sich im feuchten Pflaster spiegelnden Illumination, die teils von den Straßenlaternen, teils von der erleuchteten Theaterfassade, teils aber auch von den in dreifacher Reihe aufgefahrenen Chaisen ausgeht. In immer kürzeren Abständen öffnen sich die Schläge, und das festlich gekleidete Publikum strebt seinen Logen zu. Nun wird es auch für mich Zeit. Ich werde wie Börne, der nimmermüde Kritiker, einen Stehplatz nehmen, um der Bühne besonders nahe zu sein. Will sehen, ob es sich lohnt, der Claque beizufallen. Leb wohl, mein Freund, und sei versichert, daß ich Dir noch viel aus Frankfurt zu berichten haben werde.

Dein * * *

Frankfurt am Main, den 20. Februar 1822

Lieber Freund, nun bin ich schon einen Monat hier, und ich muß zugeben, die Zeit ist mir wie im Flug vergangen, obschon das Wetter nicht sehr anziehend war. Ich bin daher auch noch gar nicht aus der Stadt herausgekommen, doch haben mich Theater und Karneval voll ausgefüllt. Ich hatte Gelegenheit, durch meine Bekanntschaft mit dem Attachee *** zum Ball des Herrn Bundespräsidialgesandten geladen worden zu sein.
Es war eine fashionable Gelegenheit, und ich hatte, sonst wenig in der Frankfurter Gesellschaft bekannt, hinlänglich Muße, die Creme der Bundestagsdiplomatie und der Frankfurter Kaufmannschaft zu studieren.
Es ist eine Eigentümlichkeit der gebildeten Klassen von Frankfurt, daß ihnen Maskenbälle zuwider sind, dagegen lieben sie die gewöhnlichen Tanzbälle in geschlossener Gesellschaft, die en famille oder in gemieteten Gastsälen gegeben werden. Nicht alle sind so glänzend wie der im Bundespalais, dem ich beiwohnte, aber doch immer mit Geschmack ausgerichtet, wenn auch die Freude der Frankfurter niemals so herzlich ist wie bei uns im Rheinland mit seinem lebensvollen Treiben. Der Frankfurter geht erst aus sich heraus, wenn er sich extra muros befindet. Deshalb trifft man auf rheinischen Volksfesten so viele Frankfurter.
Im Theater habe ich Mozarts Don Juan, Rossinis Diebische Elster, die Oper Faust von Ludwig Spohr und zwei Schauspiele gesehen. Heute abend spielt man den „Bürgerkapitän", ein Mundartstück von einem gewissen Malß, das nach seiner Uraufführung im vergangenen August immer wieder verlangt wird, weil die Frankfurter darin über sich selbst lachen können. Der Schauspieler Hassel gibt aber auch sein Bestes.
Das vor vierzig Jahren erbaute Theater ist ohnstreitig eines der bedeutenderen von Deutschland und steht höchstens den Bühnen von Wien, Berlin und Mannheim hinsichtlich der Größe nach. Ungefähr tausend Zuschauerplätze verteilen sich auf drei Reihen Logen, die alle vermietet sind, eine Galerie und das Parkett, wo die Bänke zwar gepolstert, aber keine Lehnen haben. Alles ist recht zweckmäßig eingerichtet, doch hat das Ganze eine gewisse Düsternheit, die gegen die sonstige Frankfurter Eleganz absticht. Auch unter den Dekorationen befindet sich manche veraltete, ja sogar einige, die fast schmutzig zu nennen sind. Selbst der Vorhang, der einst ein Meisterstück gewesen sein soll, ist im Laufe der Zeit recht schäbig geworden. Sicher genügt das Theater nicht den heutigen Ansprüchen der reichen und wohlhabenden Stadt. Ich traf einen Journalisten, der sich unmißverständlich dafür erklärte, daß man dieses einer Rauchkammer ähnliche Comödienhaus endlich abreißen solle.
Aber die seit Jahren diskutierten Neubaupläne werden immer wieder verworfen, da man sich nicht einigen kann.
Wenigstens hinsichtlich des Repertoires kommt man auf seine Kosten, zumal was die Oper betrifft, die über dem Schauspiel steht. Allerdings hat sich dieses seit den schonungslosen Kritiken Börnes gebessert. Besonders zwei Schauspieler brillieren mit individuellen Leistungen: Herr Weidner, der Intrigants, Tyrannen und Bösewichter meisterhaft darstellt und in

Comödienplatz

der Tat den Namen eines denkenden und wissenschaftlich gebildeten Künstlers verdient, und Demoiselle Lindner, deren Sicherheit und Gewandtheit man anmerkt, daß sie von Kindheit an auf dem Theater steht.
Die Qualität der Oper hat man im übrigen größtenteils der Einsicht und rastlosen Tätigkeit des talentvollen Musikdirektors Herrn Guhr zu danken, der sie auf diese Höhe, freilich mit auf Kosten des Schauspiels, gebracht hat. Das Orchester, das aus etlichen und dreißig braven Tonkünstlern besteht, darf sich den ersten Deutschlands zur Seite stellen, und erreicht es sie auch nicht an Zahl, so übertrifft es sie vielleicht an Präzision, Kunst und Ausdruck. Mit Sängerinnen ist die Oper ziemlich gut versehen, und keine darunter gerade schlecht, einige aber vorzüglich zu nennen. Zu den letzteren gehören Demoiselle Bamberger mit einer nach trefflicher Methode gebildeten jugendlichen Stimme. Von den Sängern nenne ich Herrn Dobler, einen ausgezeichneten Bassisten, und Herrn Nieser, einen sehr angenehmen Tenor. Die Chöre beiderlei Geschlechts sind sehr gut einstudiert und stehen dem Orchester würdig zur Seite.
Ich frage mich, ob die Frankfurter ihr Theater wirklich zu schätzen wissen, denn die häufige Unruhe im Zuschauerraum ließ mich eher an eine Börsenversammlung, denn an eine Theateraufführung denken. Die bloße Vergnügungssucht und mangelnder Kunstverstand der meisten Frankfurter machen es übrigens erklärlich, daß an den unwahrscheinlichsten Stellen geklatscht wird, während man sonst auf den Händen sitzen bleibt. Der Hautevolee genügt es, Theateraktionär und damit Logenbesitzer zu sein. Wenn man auch das ganze Jahr das Theater nicht besucht, so tut das nichts.

Es genügt vollauf, daß man seinen Geschäftsfreunden neben der üblichen Abfütterung einen Logenplatz anbieten kann.
Daß das Theater von einer Aktiengesellschaft betrieben wird, enthebt den Senat übrigens der Verpflichtung, öffentliche Mittel einzusetzen, was ihm nur recht sein kann, denn noch lasten auf dem Stadtstaat Frankfurt 9 Millionen Kriegsschulden.
Die Gesamteinnahme der Freien Stadt beträgt jährlich 900 000 Gulden, die vornehmlich aus der Einkommensteuer, aber auch aus Verbrauchs- und Luxussteuern fließen. Die 1817 eingeführte progressive Einkommensteuer erbringt jährlich 200 000 fl., wobei selbst von dem geringsten Einkommen 3 fl. zu zahlen sind, der Reiche aber mit 4 Prozent seiner Einkünfte davonkommt. Immerhin zahlen 150 Familien die eine und 11 000 Familien die andere Hälfte. Dabei wird das Gesamtvermögen der Frankfurter Bürgerschaft auf 200 bis 250 Millionen geschätzt. Die wichtigsten Verbrauchssteuern sind die von Mehl, Brot, Fleisch, Bier, Wein, Apfelwein und Salz. Hinzu kommen mancherlei Gebühren für eingebrachte Waren, das Standgeld für die Meßläden, die Stempelgebühr von allen Wechseln und Assignationen, die in Frankfurt bezahlt, giriert und indossiert, protestiert oder akzeptiert werden, der Stempel des Leders, der Zeitungen, Spielkarten, gerichtlichen Schriften, Handfesten, Urkunden, die Kutschpferde- und Hundesteuer, die Wasser- und Landzölle, der Ertrag der Stadtgüter, wozu besonders der forstwirtschaftliche Gewinn aus dem auf dem linken Mainufer gelegenen 10 757 Morgen großen Stadtwald gehört.
Diese Einkünfte dienen halb zur Tilgung der Kriegsschulden, halb zur Finanzierung der Verwaltung und der Justiz, des Militärs und der Polizei, die allein einen Jahresetat von 50 000 fl. benötigt. Schließlich hat die Stadt noch die primatisch-großherzoglichen Pensionen zu zahlen, und dieser Spaß kommt sie jährlich auf mehr als 5000 fl. zu stehen.
Es bringt mich dies auf die jüngste Zeitgeschichte, die ich Dir kurz umreißen muß, weil sich die gegenwärtige Situation Frankfurts nur aus den Schicksalen der letzten dreißig Jahre versteht.
Tempora mutantur haben wir alle empfunden, als im vergangenen Mai Napoleon auf der Insel St. Helena gestorben ist, und wie sehr sich die Zeit gewandelt hat, mochten auch die Frankfurter gefühlt haben, als sie im Februar 1817 an dem schwarz verhangenen Katafalk vorbeidefilierten, der im Dom für Karl von Dalberg aufgestellt worden war. Der letzte Erzbischof von Mainz, der letzte Kurerzkanzler des Heiligen Römischen Reiches Deutscher Nation, nach dessen Zusammenbruch 1806 Fürstprimas des Rheinbundes und Frankfurter Großherzog von Napoleons Gnaden, war in Regensburg gestorben, wohin er sich im Herbst 1813 zurückgezogen hatte. Nur sieben Jahre währte sein Regiment in der alten Reichsstadt, die sich auf Geheiß des Korsen dem fürstlichen Szepter zwar beugen mußte, im ganzen aber unter Dalbergs humaner Herrschaft nicht schlecht gefahren ist. Die heute so sichtbare Verschönerung Frankfurts wurde unter Dalberg eingeleitet. Man muß dem vielfach geschmähten Regenten wenigstens Sinn für Kultus, Unterricht, Kunst und Wissenschaft zu-

Anton Radl: Frankfurt am Main vom Mühlberg aus (Ausschnitt).

Karl Morgenstern: Auf der Alten Brücke. 1828.

Johann Friedrich Morgenstern: Eschenheimer Tor von Norden (Ausschnitt)

gestehen, man muß seinen guten Willen anerkennen, wenn seine franzosenfreundliche Politik auch aufs falsche Pferd gesetzt hat. Die Frankfurter, denen ihr Geldsack alles bedeutet, haben ihm schließlich am meisten verübelt, daß er die nun abgeschaffte lästige Kapitalsteuer, das Simplum, allzu oft begehrte, nachdem bereits die Revolutionskriege mit Kontributionen und Einquartierungen schon so tiefe Wunden geschlagen hatten.

Mit Begeisterung begrüßten die Frankfurter 1813 die alliierten Truppen als ihre Befreier vom französischen Joch und Franz von Österreich, als er am 6. November in die Stadt einzog, enthusiastisch als „Deutschlands Kaiser". Wenn irgendwo, dann hoffte man in Frankfurt auf die Wiederherstellung der deutschen Kaiserwürde und auf die Restitution ihres letzten 1792 in Frankfurt gekrönten angestammten Trägers. Für die nationale Wiedergeburt wollte man tätig sein: man trug die alliierten Besatzungslasten am Sitz der provisorischen Verwaltung der Rheinbundstaaten lieber als die französischen, die Wagemutigsten beteiligten sich freiwillig an den letzten Kämpfen, während Frankfurterinnen aller Schichten die Verwundeten betreuten. Weithin leuchteten am ersten Jahrestag der Leipziger Völkerschlacht die Freudenfeuer von den Taunushöhen.

Gleichzeitig begann der Wiener Kongreß um die europäische Neuordnung zu ringen, und hatte auch der Freiherr vom Stein als einflußreicher Vorsitzer des Verwaltungsrates der verbündeten Mächte schon im Dezember 1813 dafür plädiert, „die Stadt Frankfurt mit ihrem ehemaligen Gebiete für eine freie deutsche Stadt zu erklären und in ihre alte Verfassung wieder einzusetzen", so war das Schicksal der Freien Städte, die von den fürstlichen Nachbarn gern als Entschädigungsobjekte kassiert worden wären, im Februar 1815 noch keineswegs entschieden. Um Frankfurt stritten sich Bayern und Hessen; namentlich Bayern suchte eine Territorialbrücke zur Rheinpfalz, und erst im März 1815 gewannen die Vorstellungen Steins Beachtung, daß Deutschland nicht auf diese Weise zerschnitten werden dürfe. Frankfurt habe die größte Berechtigung, als Freie Stadt im Deutschen Bunde zu bestehen. So gelangte Bayern nur bis nach Aschaffenburg, der Freiherr vom Stein aber aus Dankbarkeit zur Würde eines Frankfurter Ehrenbürgers. Die Wiener Kongreßakte aber bestimmte ausdrücklich in Art. 80: „Die Stadt Frankfurt mit ihrem Territorium von 1803 wird für frei erklärt und bildet einen Teil des Deutschen Bundes." Am 9. Juli 1815 gab der alliierte Generalgouverneur die Souveränitätsrechte an die Stadt zurück, zu deren Gebiet nun außer dem Stadtteil Sachsenhausen acht Dörfer und Flecken, nämlich Oberrad, Niederrad, Bornheim, Hausen, Niederursel, Bonames, Niedererlenbach, Dortelweil und zwei Waldparzellen am Feldberg gehören, Niederrad im Kondominat mit Österreich als Rechtsnachfolger des Deutschen Ordens.

Du wirst Dir, lieber Freund, wie ich die Frage stellen, ob Frankfurt um seiner selbst willen die Freiheit zurückerlangt hat. Richtig ist doch wohl, daß Preußen die großbayerischen Pläne nicht dulden mochte und daß selbst der Freiherr vom Stein vorwiegend mit deutschen und nicht mit Frankfurter Argumenten in den Streit eingriff. Ist die Bundesakte vom 8. Juni 1815 auch ein staatsrechtlicher Kompromiß, der unsere nationalen Hoffnungen nicht befriedigt, indem sie einen Staatenbund von 35 souveränen Fürsten und vier Freien Städten an die Stelle der alten Reichsherrlichkeit setzte, so gewann Frankfurt doch für seinen Teil mehr als es hoffen durfte. Es erlangte als Sitz der Deutschen Bundesversammlung, die am 5. November 1816 im Palais des ehemaligen Reichspostmeisters Fürst Thurn und Taxis in der Eschenheimer Gasse eröffnet wurde, nicht nur Hauptstadtcharakter, sondern als Freie Stadt eine Souveränität, die es nie zuvor, selbst nicht als Wahl- und Krönungsstadt der deutschen Kaiser und Könige besessen hatte. Denn oberster Souverän der Reichsstadt war immer der Kaiser in Wien.

Nun ist auch die Episode der Fürstenherrschaft vorüber. An der Spitze Frankfurts steht nicht mehr nur ein Maire als Bürgermeister, sondern ein allgewaltiger Hoher Senat, der in seinen Gliedern Exekutive und richterliche Gewalt und, da ein Viertel des Gesetzgebenden Körpers aus Senatoren besteht, selbst die Legislative in sich vereint.

Ist denn in der Zeitenwende, die uns erschüttert hat, gar nichts vom Geist der französischen Revolution in Frankfurt hängengeblieben, so müssen wir uns fragen. Tatsächlich brach die Freie Stadt mit den meisten modernen Errungenschaften. Sie gab die Trennung von Verwaltung und Justiz ebenso auf wie das fortschrittliche Zivilgesetzbuch des Code Napoléon, das links des Rheins noch gültig ist, und zwar ausdrücklich aus nationalen Motiven, und machte die unter Dalberg eingeleitete Judenemanzipation weitgehend rückgängig, was Ludwig Börne zu dem Bonmot veranlaßte: „Ihr haßt die Juden, nicht, weil sie es verdienen, sondern weil sie verdienen."

Obwohl der konservativ-reaktionäre Trend, zur reichsstädtischen Verfassung zurückzukehren, unverkennbar war, hatte es um die Konstitutionsergänzungsakte, die am 18. Oktober 1816 vom Senat und Bürgerschaft vor dem Römer beschworen wurde, Zank und Streit gegeben, der sich in über 50 staats- und kommunalpolitischen Kampfschriften niederschlug, was an Rousseaus Wort gemahnt: „Die Freiheit ist ein köstlich Ding, aber schwer zu verdauen."

Zwar bekennt sich die Konstitutionsergänzungsakte, die Verfassung des modernen Frankfurt, für Gleichheit der christlichen Konfessionen, was Katholiken und Reformierte senatsfähig macht, und zur Beseitigung altpatrizischer Vorrechte. Sie verbesserte das Wahlrecht und ebnete den Weg für eine sukzessive Landgemeindereform. Aber wie schon der Name sagt, bekam nur ein alter Kern eine zeitgemäß gefärbte Schale. Janusgesichtig verletzte sie eine Reihe alter Rechte, eine Menge neuer Wünsche läßt sie unbefriedigt. Mit den liberalen Konstitutionen, wie sie 1814 in Nassau, 1816 in Sachsen-Weimar und 1818 in Bayern nach dem Muster der französischen Charte eingeführt worden sind, hat sie nicht das geringste zu tun, und auch ihr Art. 5 („Alle Hoheitsrechte und Selbstverwaltung der Stadt beruhen auf der Gesamtheit der christlichen Bürgerschaft") hat

Roßmarkt

nichts mit der vieldiskutierten Volkssouveränität gemein. Denn nur wenig mehr als die Hälfte der Einwohner besitzt das an den Vermögensnachweis von 5000 Gulden gebundene Bürgerrecht. 5200 Juden, 2000 Beisassen, 3500 Permissionisten und 6000 Landbewohner entbehren der politischen Rechte, was zwischen wohlregierendem Senat und untertäniger Bürgerschaft noch manche Unruhe bringen und die unversöhnten Verfassungskämpfe des verflossenen Jahrhunderts fortsetzen wird.
Wie lange wird die herrschende Schicht noch darauf bauen dürfen, daß der einfache Frankfurter einen Ratsherrn einem Halbgott, einen Bürgermeister dem türkischen Sultan gleichsetzen wird? Nicht von ungefähr heißt es, daß die Frankfurter, haben sie auf dem Römer zu tun, sich schon am Steinernen Haus die Schuhe abputzen.
Der Senat also ist die höchste Verwaltungsstelle. Er besteht aus 42 lebenslänglichen Mitgliedern, die drei Abteilungen oder Bänke bilden. In der ersten Abteilung sitzen die Älteren Senatoren oder Schöffen, in der zweiten die Jüngeren Senatoren und in der dritten die sogenannten Ratsverwandten. Die zwei ersten Abteilungen sind vorzüglich mit Rechtsgelehrten, dann mit Kameralisten, Kaufleuten und Gutsbesitzern, teils von adliger, teils von bürgerlicher Herkunft, besetzt, in der dritten befinden sich die aus den Zünften gewählten Ratsherren sowie zwei unzünftige Gewerbetreibende. Die Mitglieder dieser dritten Bank können aber so gut wie die andern zu den höchsten Ehrenstellen gelangen. Wird eine Stelle im Rat ledig, so ernennen Senat und Gesetzgebende Versammlung je sechs Wähler. Diese zusammen wählen nach Stimmenmehrheit drei Bürger zur Kugelung, das heißt, der Zufall der goldenen Kugel bestimmt einen zum Senator.
Die ausübende Gewalt ruht zwar auf dem ganzen Senat, aber die Souveränität wird durch die beiden auf ein Jahr gewählten Bürgermeister vorgestellt. Der Ältere Bürgermeister, aus den Schöffen, hat den Vortrag im Senat oder verteilt die vorzutragenden Gegenstände unter die

Senatoren zur Berichterstattung. Auch ist demselben die oberste Leitung der bewaffneten Macht anvertraut. Der Jüngere Bürgermeister, von der zweiten Bank, vertritt den Älteren, hat die Aufsicht über die Polizei und das Peinliche Verhöramt, welches bei Verbrechen die vorbereitende Untersuchung führt, ist die erste Gerichtsstelle in Zunftsachen und prüft die Bürgerrechtsgesuche.
Ich will Dir, lieber Freund, hier nicht die Kompetenzen aller vom Senat abhängigen Verwaltungsämter vorstellen, da würde ich Dir besser den Frankfurter Staatskalender schicken. Die Zahl der im städtischen Dienst Beschäftigten reicht jedenfalls vollkommen, die Regierung eines der kleineren Königreiche Deutschlands zu versehen. Nur so viel noch zum Gerichtswesen: Die erste Gerichtsstelle in bürgerlichen Sachen, wo strittige Gegenstände bis zu 300 fl. verhandelt werden, ist das Stadtamt für die Stadtbewohner und das Landamt für die Landbewohner. Von hier geht die Berufung an das Stadtgericht, welches zugleich die erste Instanz für solche Rechtshändel ist, in denen der Streitgegenstand mehr als 300 fl. beträgt. Von den Erkenntnissen des Stadtgerichts findet Berufung an das Schöffengericht statt, das aus einem Präsidenten und sechs rechtsgelehrten Senatoren, von denen vier zugleich Syndici sind, besteht. In peinlichen Sachen übernimmt das Schöffengericht die Verhandlungen, sobald das Peinliche Verhöramt seine Untersuchung vollendet hat.
Letzte Instanz in bürgerlichen Sachen ist das neue, für die vier Freien Städte errichtete Oberappellationsgericht in Lübeck.
Die Finanzkontrolle übt die Ständige Bürgervertretung, auch Bürgerkollegium, Bürgerausschuß oder Bürgerrepräsentation genannt, von zur Zeit 61 Mitgliedern. Die von ihr gewählten und verpflichteten Gegenschreiber sitzen auf allen Ämtern, wo Geld eingenommen und ausgegeben wird. Die Nachwahl der lebenslänglichen Bürgerschaftsvertreter geschieht wie die der Senatoren. Wer die goldene Kugel wählt, erhält die Stelle.
Die Legislative liegt bei der Gesetzgebenden Versammlung. Sie besteht aus 85 Mitgliedern, nämlich 20 Senatoren, 20 Mitgliedern des Bürgerkollegs und 45 Hinzugewählten aus der Bürgerschaft, die sich zum Zweck der Wahl in drei „Stände" gliedert: Adelige und Gelehrte, Kaufleute, Handwerker. Dieses „Parlament" wird alljährlich gewählt und auf den ersten Montag des Novembers zu seiner meist sechswöchigen Session zusammengerufen. Es übt die Gesetzgebung in ihrem weitesten Umfang, entscheidet über die Abgaben sowie über den Einsatz des Militärs, gibt den Staatsverträgen Gesetzeskraft und führt die Aufsicht über den Staatshaushalt. Es entscheidet in Fällen, wo der Senat und der Bürgerausschuß verschiedener Meinung sind, und zur Veräußerung irgend beträchtlicher Staatsgüter ist seine Einwilligung notwendig. Endlich sorgt es für die genaue Beobachtung der Verfassung.
Das also ist der Kern der Frankfurter Staatsverfassung. Du wirst mir, lieber Freund, beipflichten, daß man sie antiquiert und schwerfällig nennen muß, da sie so viele Einwohner auch nach Jahr und Tag die staatsbürgerlichen Rechte entbehren läßt. Aber das Bürgerrecht schöner und

Bockenheimer Tor

unschöner Frankfurter Handwerkswitwen reizt zur Einheirat. Es ist die beste Mitgift.
Im übrigen ist die Stadt, ursprünglich aus militärischen Gründen, in 14 Quartiere eingeteilt. Jedes Quartier hat seinen Buchstaben, jedes Haus seine Nummer. A bis E liegen, im Osten beginnend, vornehmlich in der neuen Stadt, die letzten, N und O, in Sachsenhausen. Die Quartiervorstände, heute im Majorsrang, sind aus den Bürgerkapitänen der Reichsstadt hervorgegangen.
Wenn Du meinst, daß die Frankfurter Bürgerschaft am öffentlichen Wesen regen Anteil nehme, so muß ich Dich leider enttäuschen. Zu ängstlich prüft man in Frankfurt pro und contra, bevor man sich politisch engagiert. Zudem ist die demokratische Freiheit durch die Anwesenheit des Bundestags beschränkt, auf den es Rücksicht zu nehmen gilt. Die studentische Jugend, die für ihre nationale Agitation auch in Frankfurt Gesinnungsfreunde und Schlupfwinkel hatte, ist nach der Ermordung Kotzebues durch die Demagogenverfolgung gedemütigt. Der Frankfurter Kaufmann aber denkt zuerst an seinen Geldkasten, das durch die Zunftverfassung gebundene Handwerk an seine Nahrung, das heißt an die Sicherheit der Arbeitsplätze.
So fühlt man hier doppelt die politisch absolut stagnierende Zeit, in der wir leben, und es wundert mich, daß man den Freiheitskampf der Griechen überhaupt zur Kenntnis nimmt. Du wirst in der Zeitung gelesen haben, daß die Hellenen durch die Unabhängigkeitserklärung von Epidauros ein gutes Stück weitergekommen sind in ihrem mörderischen Kampf gegen die Türken. Sie werden unsre moralische und finanzielle Hilfe brauchen, um sich zu behaupten.
Lebe wohl, bester Freund, Du wirst an diesem Brief lange zu lesen haben. Schreibe mir, wenn Du noch Fragen hast. Es grüßt Dich von ganzem Herzen

Dein * * *

Frankfurt am Main, den 14. März 1822

Lieber Freund, wenn ich im letzten Brief versucht habe, für Dalberg, dem man heute sein francophiles Verhalten verdenkt, eine Lanze zu brechen, so muß ich heute eben da noch einmal einhaken, wenn es gilt, die Verhältnisse von Kirche und Schule in Frankfurt zu beleuchten. Im einen wie im andern hat nämlich die dalbergische Zeit viel Positives bewirkt.
In der Reichsstadt war das lutherische Bekenntnis die alleinige Voraussetzung für das volle Bürgerrecht; Reformierte, Katholiken und Juden blieben von öffentlichen Ämtern ausgeschlossen. Erst Dalberg hat als Fürstprimas diesem unwürdigen Zwangszustand ein Ende gesetzt und der vollen Gleichberechtigung aller drei christlichen Parteien Gesetzeskraft verliehen. Zwar ist auch jetzt der kirchliche Frieden noch nicht völlig eingekehrt: Die Juden kämpfen um die Erhaltung ihres für 440 000 Gulden teuer erkauften Staatsbürgerrechts und die Katholiken um größere Dotationen. Die Unionsbestrebungen zwischen Lutheranern und Reformierten, die besonders stark beim Reformationsfest 1817 hervorgetreten sind, blieben in den Anfängen stecken, ja die Lutheraner zeigen wieder deutliche Tendenzen, ihre calvinistischen Glaubensbrüder zu bevormunden. Gleichwohl ist es ein Vergnügen, den beiden beliebtesten lutherischen Sonntagspredigern, den Pfarrern Kirchner und Stein, zuzuhören, deren tolerante und zeitnahe Predigten sich starken Zulaufs erfreuen.
Kirchen, in welchen gegenwärtig Gottesdienst gehalten wird, haben die Lutheraner fünf, nämlich die Katharinen-, Weißfrauen-, Peters- und Heiliggeistkirche und die Dreikönigskirche in Sachsenhausen; die Reformierten zwei höchst moderne, aber turmlose Bethäuser, die Deutschreformierten am Großen Kornmarkt, die Französischreformierten an der Stadtallee, d. h. zwischen Comödienplatz und Roßmarkt. Den Katholiken gehören vier Kirchen, nämlich der Dom, Liebfrauen, St. Leonhard und die Deutschordenskirche. Die viel zu kleine Synagoge befindet sich zwischen Judengasse und Allerheiligenstraße.
Ich sagte Kirchen, in denen Gottesdienst gehalten wird, denn leider finden sich in Frankfurt auch andere, die nach der Säkularisation in städtisches Eigentum übergingen. Das sind in erster Linie die Klosterkirchen der Dominikaner, Karmeliter und Johanniter, die heute zu Warenlagern und Kasernen herabgewürdigt sind, ohne Rücksicht auf künstlerischen Wert und Ausstattung. Ihr Inventar wurde auf die Dörfer verstreut, und nur das Wertvollste, darunter Altartafeln Holbeins d. Ä., Albrecht Dürers und Matthias Grünewalds, schenkte Dalberg der Frankfurter Museumsgesellschaft. In einer Zeit, da der französisch-antike Geschmack dominiert, findet die altdeutsche, gotische Kunstrichtung wenig Fürsprecher. Ich glaube aber, die Denkmäler der deutschen Vorzeit werden auch wieder mehr Beachtung finden. Die altdeutsche Richtung in Literatur und Wissenschaft, wie sie sich jetzt allenthalben aus romantischem Gefühl und patriotischer Gesinnung entwickelt, wird verhindern, daß noch mehr Baudenkmäler aus Unverstand und Neuerungssucht vernichtet werden.

Gallusanlage im Mondschein

Vor 35 Jahren schon hat man die gotische Barfüßerkirche abgebrochen, aber die schöne Rotunde der neuen lutherischen Hauptkirche steht noch heute ohne Turm und mit öden Fensterhöhlen unfertig da und wird als Magazin benutzt.
Auch im Unterrichtswesen ist nicht alles so, wie es sein sollte. Zwar haben noch in reichsstädtischer Zeit Reformen des antiquierten Schulwesens begonnen, die in der Gründung der bürgerlichen Musterschule (1803) und der jüdischen Gemeindeschule, des Philanthropins (1804), gipfelten. Auch die 1813 vornehmlich für die Jugend des Kleinbürgertums eröffnete Weißfrauenschule erfreut sich dank der glücklichen Anfänge mit Adolf Diesterweg eines guten Rufes. Überhaupt hält man in Frankfurt viel von den Methoden Pestalozzis, und, wer es kann, schickt seine Kinder zu ihm nach Yverdon. Es gibt auch katholische und reformierte Privatschulen, aber noch sind die Kinder aus den ärmeren Schichten der Bevölkerung auf die elenden Quartierschulen angewiesen, deren Vorstände zwar die Mittel von der Armenkommission erhalten, deren Voraussetzungen für die gedeihliche Entwicklung unserer Jugend hinsichtlich Licht, Luft, Sauberkeit und Ordnung jedoch niemand überprüft. Den von den Pfarrern Kirchner und Stein befürworteten Plänen, die hier mit dem Bau dreier neuer Volksschulen Abhilfe schaffen wollen, ist die baldige Verwirklichung zu wünschen.
Nicht viel besser steht es um das Gymnasium, dessen 200 Schüler mit unzureichenden Räumlichkeiten des ehemaligen Barfüßerklosters vorliebnehmen müssen und das nach dem Weggang so hervorragender Lehrer wie der Professoren Poppe, Schlosser und Ritter nicht nur unter

chronischer Finanznot, sondern mehr noch an fähigen Pädagogen Mangel leidet.
Ein Lichtblick dagegen ist die 1817 von der Frankfurter Gesellschaft zur Beförderung nützlicher Künste und Wissenschaften (Polytechnische Gesellschaft) für Handwerker und Lehrjungen, deren Elementarbildung versäumt worden, gestiftete Sonntagsschule. In dieser Anstalt wird jeden Sonntag nach Beendigung des öffentlichen Gottesdienstes unentgeltlicher Unterricht erteilt, welcher für jetzt noch im Schön- und Rechtschreiben, Rechnen und Zeichnen besteht. Bei den Prüfungen sind als Preise silberne Medaillen und lehrreiche Bücher ausgesetzt. Die Anzahl der Schüler an diesem wohltätigen und nützlichen Institut ist bereits auf 400 angewachsen.
Diese gewerbliche Fortbildungsanstalt wird nicht das einzige Institut der 1816 gegründeten Polytechnischen Gesellschaft bleiben, die sich dem technischen Fortschritt, der naturwissenschaftlich-praktischen Erziehung und der Unfallverhütung am Arbeitsplatz verschrieben hat. Die unterschiedlichsten Projekte werden bereits diskutiert, auch eine Straßenbeleuchtung aus Steinkohlengas und ein Schutzzollsystem zur Förderung der deutschen Industrie. Am ersten scheint sich demnächst die Gründung einer Frankfurter Sparkasse zu verwirklichen. Ich habe in der Stadt gehört, daß heute der Senat dieses menschenfreundliche Projekt befürwortet hat.
Obwohl die unter Dalberg erörterten Universitätspläne endgültig aufgegeben sind, scheint sich Frankfurt doch zu einem wissenschaftlichen Zentrum zu entwickeln. Die Zahl der jungen Gelehrten, die sich zur Zeit hier aufhalten und von denen mehrere von Bedeutung zu sein scheinen, hat sich sehr vermehrt, und ihr lobenswerter Wetteifer wird, wenn er die Unterstützung des Frankfurter Reichtums findet, die Stadt vollends zur Hauptstadt von Deutschland erheben.
Zu diesem Schluß muß man kommen, wenn man wie ich kürzlich einer der monatlichen Versammlungen der Senckenbergischen Naturforschenden Gesellschaft beigewohnt hat. Es ist dies eine Vereinigung von Gelehrten, Liebhabern und Besitzern von Naturalien-Kabinetten, die es sich zum Ziel gesetzt hat, ein öffentliches Naturkundemuseum zu unterhalten.
Die seit 1817 bestehende Gesellschaft Frankfurter Naturwissenschaftler stützt sich auf die Einrichtungen der Dr. Senckenbergischen Stiftung von 1763, die in einem medizinischen Institut mit Bibliothek, Botanischem Garten und Anatomischem Amphitheater und einem Krankenhaus, dem Bürgerhospital, besteht. Angeblich soll folgende Geschichte der Anlaß zur Gründung der Gesellschaft gewesen sein: Auf der Frankfurter Messe 1817 wurde ein lebender schwarzer Seehund aus dem Adriatischen Meer gezeigt; er erkrankte, krepierte, der Kadaver verkam auf der Frankfurter Salmiakhütte. So wurde ein höchst seltenes europäisches Säugetier barbarisch zerstört, weil in Frankfurt kein Institut bestand, das ein so wertvolles Exemplar zum Schauobjekt hätte präparieren können.
Haupt-Initiator war der Anatom am Senckenbergischen Institut Dr. Cretzschmar, der dort in den Abendstunden seine freien und mit

Eschenheimer Anlage mit Brunnenhalle

faßlich gutem Vortrag gegebenen Vorlesungen hält, wofür Du auch nicht einen Kreuzer zu zahlen hast.
Der Grundstein zum Senckenbergmuseum wurde im April 1820 gelegt, und schon im vergangenen November konnte der Neubau am Eschenheimer Turm eingeweiht werden, wobei Dr. Mappes, ein in Frankfurt sehr beliebter und um den Aufbau des Museums sehr verdienter Arzt, in seiner Eröffnungsrede sagte: „Nicht wie Museen in Residenzen können wir zur Förderung unserer Zwecke die allenfallsige Geneigtheit und die Gunst eines Fürsten zu gewinnen hoffen, der mit freigebiger Hand aus den Reichtümern eines ganzen Landes spendet. Aber dafür ist unser Werk auf einem unerschütterlichen Fels gegründet, auf einem Boden errichtet, der mehr als eine Anstalt sicher trägt. Er ist gegründet auf dem Gemeingeist freier Bürger."
Schon treffen, finanziert von den bedeutendsten Frankfurter Bankiers, wertvolle Sendungen exotischer Fauna ein. Von dem in Brasilien wirkenden Frankfurter Gelehrten Professor Freyreiß kamen in vier Kisten 12 Säugetiere, 547 Vogelbälge und über 4000 Insekten. Der Frankfurter Naturforscher Dr. Rüppell ist für mehrere Jahre nach Ägypten und Ostafrika aufgebrochen, nachdem er bereits 1820 die Gesellschaft aus Italien beliefert hat. Mit den aus den Rüppellschen Reisen noch zu erwartenden Ergebnissen und den von den etwa 50 Mitgliedern der Gesellschaft eingebrachten privaten Sammlungen reiht das Senckenbergmuseum sich schon jetzt in die Reihe der international tätigen und geachteten Forschungsanstalten ein. Alle Herren sind z. Zt. vollauf damit beschäftigt, die unterschiedlichsten Gegenstände in eine wissenschaftliche

Ordnung zu bringen, wofür man von der Zoologie über die Botanik und Mineralogie bis zur Physik und allgemeinen Naturkunde zehn Abteilungen geschaffen hat.

In einem Winkel des Gartens, in dem die bürgerlichen Kranken ihren Spaziergang haben, befindet sich das Grab des edlen Senckenberg, der die Vollendung und Eröffnung seines Krankenhauses nicht mehr erlebte, indem er vom Baugerüst fiel und sich das Genick brach. Er war der erste, der in seiner Anatomie seziert wurde.

Die vortreffliche Senckenbergische Büchersammlung, hauptsächlich medizinischen und naturwissenschaftlichen Inhalts, beläuft sich auf über 6000 Bände. Ja, es gibt in Frankfurt und Rödelheim Privatbibliotheken, die bis zu 10 000 Bücher enthalten. Am bedeutendsten ist aber mit 60 000 Titeln die Frankfurter Stadtbibliothek, die jetzt noch bis zur Fertigstellung des am Obermaintor begonnenen Neubaus im Kaisersaal des Römers mehr schlecht als recht untergebracht ist. Sie reicht mit ihren Inkunabeln, darunter einer lateinischen Gutenbergbibel, bis ins 15. Jahrhundert, mit ihren etwa 250 Handschriften noch weiter zurück. Überdies besitzt die Bibliothek zahlreiche Kunstmerkwürdigkeiten: Meisterstücke von Elfenbein und Tafeln von Dürers Hand, Hausrat von den Bewohnern der Südseeinseln und altertümliches Gerät deutscher Urstämme, Gipsbilder von römischen Zwingherren und Handtrommeln von Negern. Endlich befinden sich hier auch über 20 Bildnisse berühmter Frankfurter aus dem 17. Jahrhundert, eine reiche und auserlesene Münzsammlung und die berühmte äthiopische Druckerei von Hiob Ludolf. Man vermißt indessen einen besser geordneten Katalog, und der junge Dr. Böhmer, der jetzt hierzu berufen ist, wird sich zweifellos damit sehr verdient machen.

Alle diese wissenschaftlichen Institutionen leben von Stiftungen der Frankfurter Kaufmannschaft oder sind doch durch solche ins Leben gerufen worden.

Dies gilt besonders auch für das Städelsche Kunstinstitut, welches von dem im Dezember 1816 verstorbenen hiesigen Bürger und Bankier Johann Friedrich Städel nicht nur zur Präsentation von Kunstwerken, sondern auch als Lehranstalt gestiftet worden ist. Allerdings wird mit den Erben um das Kapital, das ohne Haus und Kunstschätze auf 1,1 bis 1,2 Millionen Gulden geschätzt wird, noch prozessiert. Aber man hofft in Frankfurt auf einen günstigen Ausgang, daß sich die vom Stifter gewünschte Kunstschule als Akademie etablieren kann. Schon hat sich der Ankauf der Boisseree-schen Sammlung wegen des anhängigen Rechtsstreits zerschlagen. Sie geht, wie Du weißt, an die königliche Galerie nach München. Aber die Sammlung Städels, die man unentgeltlich beschauen kann, ist reich genug, um für sich zu bestehen. Am Roßmarkt (Lit. E 41) enthält sie in eigens dazu errichteten Sälen 375 Gemälde, worunter die aus der spätern niederländischen Schule bei weitem die zahlreichsten sind, ferner eine graphische Sammlung von 36 000 Blättern, worunter sich mit 1800 eine fast vollständige Sammlung der Werke Dürers befindet, und schließlich Abgüsse von Antiken, darunter die Basreliefs des Parthenon und des Apollotempels von Phigalia.

Gegenüber der Städelschen Sammlung verblassen die übrigen 30 Frankfurter Privatgalerien und Kuriositätensammlungen, wenn schon einige bedeutende darunter sind, wie die des hessen-homburgischen Geheimrats Freiherrn von Gerning und die des Herrn von Bethmann. Überhaupt gibt es im Frankfurter Kaufmannsstand jetzt mehr Liebhaber von Kunst und Wissenschaft, die auch ohne gelehrtes Schulwissen sich Bildung erworben haben.
Wer diesen Sinn für Kunst und Wissenschaft entwickelt, versammelt sich im Museum, einem 1808 unter dem Protektorat Dalbergs gegründeten Verein von Gelehrten, Malern, Tonkünstlern und kunstliebenden Kaufleuten, welcher sich bloß zum Zweck musischer Unterhaltung vereinigt hat. Er wird in der 1. Klasse seit Jahren von Pfarrer Kirchner geführt. Man kommt alle vierzehn Tage, die Sommermonate ausgenommen, Freitagabend im Englischen Hof auf dem Roßmarkt zusammen, um Vorträge, Rezitationen und klassische Musikwerke zu hören und unter der Anleitung des Herrn Georg Schütz auch die Gemälde zu besprechen, die größtenteils Dalberg aus dem Besitz der säkularisierten Klöster der Gesellschaft überlassen hat. Allerdings wäre es besser, sie würden, da mangelhaft untergebracht, ins Städelsche Kunstinstitut überführt. Denn das Museum ist nicht mehr, was es unter Dalberg war, als Jean Paul, Goethe, Pestalozzi und die Brüder Grimm zu Ehrenmitgliedern berufen wurden. Der akademische Anstrich verliert sich zusehens; die musikalische Seite erhält mehr Gewicht, besonders seit der Orchesterdirektor des Theaters Guhr Vorsteher der 3. Klasse geworden ist. Seine Vorliebe für Beethoven fällt hier auf fruchtbaren Boden. Vergangenen Freitag habe ich im Museum Beethovens 2. Symphonie in herrlicher Ausdeutung gehört.
Im Museum können Fremde von Mitgliedern leicht eingeführt werden. Schwieriger ist dies im Casino, dem 1802 gegründeten Hauptvereinigungspunkt der höheren Stände, wo auch Damen zugelassen sind. Es befindet sich am Roßmarkt dem Englischen Hof gerade gegenüber und nimmt die Ecke vor der Hauptwache ein. Das sehr weitläufige, reich ausgezierte Lokal ist in Unterhaltungs-, Spiel- und Lesezimmer abgeteilt, und diese sind von morgens früh 9 Uhr an jedem Tag geöffnet. Ein Restaurationsbetrieb sorgt für Speisen und Getränke, deren Preis die Direktion bestimmt. Tabakrauchen ist in keinem Raum erlaubt. Casinofähig sind nur hiesige Kaufleute ersten Ranges, Senatoren, höhere Angestellte, aber beileibe keine Kommis oder Buchhalter oder Künstler, die Schauspieler oder Musiker sind, und natürlich keine Juden. Iffland, als er hier Gastrollen gab, hat dies erfahren. Eine Gastkarte, die man ihm als Generaldirektor der königlichen Schauspiele zu Berlin überschickte, wies er stolz mit dem Bemerken zurück, er besuche keinen Ort, den seine Kollegen nicht betreten dürften. Auch er sei Schauspieler. Zwar habe er die Ehre gehabt, von fürstlichen Personen und selbst von seinem König zum Frühstück eingeladen worden zu sein, allein er gebe gern zu, daß ihn dies keineswegs berechtige, sich in Frankfurt für casinofähig zu halten. Ich muß gestehen, daß es auch mir bisher nicht gelungen ist, Zutritt zu erhalten, obschon es mich reizen würde, die 90 dort ausliegenden

Zeitschriften, die reiche, auch fremdsprachliche Bibliothek und die vielen Kartenwerke zu studieren. Allein ich habe gefunden, daß die im gleichen Hause mit dem Casino konkurrierende, schon 1788 gestiftete Lesegesellschaft ebenso gut informiert und überdies wohlfeiler ist.
Dieser Brief wird länger als ich dachte. Aber da ich einmal begonnen habe, über die Geselligkeit in Frankfurt zu schreiben, dürfen die Freimaurerlogen nicht unerwähnt bleiben, in denen sich edle Menschen brüderlich vereinigen. Es gibt deren in Frankfurt bereits vier: Die Provinzial- und Direktorialloge des eklektischen Bundes unter dem Namen „Zur Einigkeit" versammelt sich im zweiten Stock des Casinogebäudes am Roßmarkt, die zweite unter dem Namen „Sokrates zur Standhaftigkeit" in der Großen Bockenheimer Gasse, die Loge „Karl" entspricht dem schottischen System, und die vierte „Zur aufgehenden Morgenröte" (à l'aurore naissante) hinter dem Dom ist vor allem Treffpunkt israelitischer Brüder.
Die Bürger mittleren Standes, d. h. nur die Männer, die nach den Geschäften des Tages sich im erlaubten Kartenspiel, Tabakrauchen, in freundschaftlicher Unterhaltung oder im Lesen der Journale die Zeit vertreiben wollen, versammeln sich seit eh und je in geschlossenen Zirkeln, die Kollegien genannt werden. Von ihnen gibt es in Frankfurt eine ganze Reihe. Die bekanntesten sind das Brückenaukolleg an der Mainbrücke, das Froschkolleg am Großen Kornmarkt, das im Goldenen Roß an der Stadthalle und ein weiteres an der St. Leonhardskirche. Gewöhnlich werden die Stiftungsfeste durch tüchtige Schmausereien und mitunter auch durch Tanzbälle gefeiert.
Die freie Geselligkeit leidet allerdings in Frankfurt durch solchen Klassenzwang und Kastengeist, was namentlich uns Rheinländer befremdet. Dies ist auch der Grund, daß die meisten Kaffeehäuser, auch die ausreichend mit Zeitschriften versehenen, in Frankfurt weniger besucht werden als in vergleichbaren anderen Städten. Am beliebtesten, nämlich wegen seiner reizenden Lage an der Stadtallee, wo man nur abends von Freudenmädchen der eleganteren Klasse beunruhigt wird, ist das Café des Herrn Fries im Goldenen Roß neben der französischreformierten Kirche, das sowohl zu ebener Erde als auch im ersten Stock den angenehmsten Aufenthalt bietet. Eine Auswahl der interessantesten Tageszeitungen halten auch die allerdings nicht so eleganten Cafés des Herrn Fink hinter der Katharinenkirche (Lit. G 10) und des Herrn Hoffmann zwischen Dom und Römerberg (Lit. L 140) bereit.
Willst Du das niedere Volk in seiner Ursprünglichkeit erleben, so mußt Du in die Trinkstuben, Bierwirtschaften und Weingärten gehen und Dich selbst nicht zieren, Freund Bacchus zu huldigen. Manche, namentlich in Sachsenhausen, sind Straußwirtschaften, die nur ihr eigenes Gewächs ausschenken. Andere bieten schattige Lauben und angenehme Spazierwege zwischen Rabatten und Bosquets. In einigen findet man schöne Säle mit freundlichem Interieur, in denen häufig Harmonie- und Tanzmusiken stattfinden und die zu den unterschiedlichsten Gelegenheiten vermietet werden.

Blick auf den Schaumainkai

Fragst Du mich, ob ich dies alles bereits selbst wahrgenommen habe, so muß ich gestehen, daß ein Jahr nicht ausreicht, um in Frankfurt überall gewesen zu sein. Aber ich habe Ohren zu hören und Augen zu sehen, und bei einem Krug wohlschmeckenden Gersten- oder Apfelsafts und einem fröhlichen Kegelspiel im Essighaus am Friedberger Tor oder auf dem Schießplatz vor dem Allerheiligentor erfährst Du manchmal mehr als in der besten Gesellschaft.

Die sogenannte gute Gesellschaft ist allenthalben höchst langweilig, in Frankfurt aber ist sie wirklich tödlich, ausgenommen die gesandtschaftlichen Zirkel, in denen der elegante Hofton herrscht. Besonders die des österreichischen und des bayerischen Gesandten werden gelobt. Ersterer gibt auch die berühmten Präsidialgastmäler, deren Kosten man ziemlich hoch anschlägt. Der Herr Präsidialgesandte Graf Buol-Schauenstein ist übrigens auch wegen seiner klassischen Bildung berühmt. Er liest die schwersten griechischen Autoren vom Blatt weg. Natürlich gibt es auch unter den Hiesigen Ausnahmen. Einzelne Familienzirkel, wie die der Häuser Guaita und Günderrode, stehen gewiß höher, und der Kreis um Senator Thomas verspricht an beispielhafter geistvoller Geselligkeit es dem gastfreien Schlosserschen Salon gleichzutun. Die übrige Frankfurter Gesellschaft aber ist wirklich so fade, daß man es nicht darin aushalten mag. Wem es schließlich vergönnt ist, in die geheiligten Tempel des hiesigen Familienlebens zu dringen, der findet die Frankfurter in ihrem wahren Element. Da wirst Du traktiert bei „süßen Abenden" und bei „Abenden mit einer Partie und Butterbrot". Gibt es bei den einen nur Tee und Konfitüren, so präsentieren sich die andern, bei denen man Karten spielt, mit gewaltigen Buffets von Gänseleberpasteten und Fasanen, Feldhühnerragouts und indianischen Vogelnestern, Göttinger Würsten und Bremer Bricken, alles unter dem bescheidenen Namen „Butterbrot".

Man trinkt Hochheimer und Niersteiner, Johannisberger und Rüdesheimer, Champagner und Tokayer. Man küßt der Dame des Hauses, die den Strickstrumpf sinken läßt, die Hand und freut sich der Ehre, über Goethe und Schiller und Jean Paul mitreden zu dürfen. Man applaudiert dem Fortepianospiel und den mehr oder weniger talentierten Meisterinnen des Gesangs, um sich schließlich an den sich unter dem „Butterbrot" biegenden Tisch zu setzen. Geht man um Mitternacht, mit vollem Magen, dem Schlaf ferner als dem Morgen, auseinander, so mag man sich wohl an das „Gib uns unser täglich Brot" erinnern und fühlen, daß Fasanen und Champagner, Pasteten und Trüffel damit nicht gemeint waren.
Lieber Freund, ich habe mich, wie Du siehst, in dem Labyrinth des Frankfurter geselligen Lebens und Treibens schon ganz gut zurechtgefunden und es Dir in diesem Brief in einer gewissen Ordnung zu schildern versucht. Heute abend gehe ich in die Frankfurter Bibelgesellschaft. Ihr Präsident Schöff Dr. von Meyer ist Mystiker und Theosoph in der edelsten Bedeutung des Wortes. Ich möchte den Mann kennenlernen, der als Bibelforscher weit über Frankfurt hinaus bekanntgeworden ist. Ist es nicht kurios? Ein Frankfurter Staatsmann zugleich Führer der evangelischen Erweckung! Aber warum nicht? Hat nicht auch Philipp Jacob Spener, der Stifter des Pietismus, zwanzig Jahre in Frankfurt gelebt und gewirkt! Frankfurt steckt jedenfalls voller Merkwürdigkeiten.
Es versichert Dich unwandelbarer Freundschaft

Dein ***

Frankfurt am Main, den 29. April 1822

Lieber Freund, Du wirst mit Recht fragen: Da fährt einer in eine der größten Handelsstädte Europas und berichtet von allerlei Vergnügungen und Genüssen in Kunst und Wissenschaft, warum nur nicht von Frankfurts Lebensquell, von Handel und Wandel? Da hast Du natürlich recht, aber einmal sind gerade die Wintermonate die Zeit der Theater- und Konzertbesuche, des geselligen Verkehrs auf Ballvergnügungen und Familienassembleen, während alles Geschäftliche sich in den stillen Comptoirs hinter verschlossenen Türen vollzieht.
Das ist nun anders geworden. Mit der Frühjahrsmesse, die wie üblich am Osterdienstag, also diesmal am 9. April, ihren Anfang nahm, wimmelte Frankfurt plötzlich wie ein Ameisenhaufen, wenn auch die Kriegsgefahr manchen abgehalten haben mag, eine längere Reise in die Handelsmetropole am Main auf sich zu nehmen.
Die Weltlage ist aber auch wenig erfreulich: in Spanien, Neapel, Piemont, Portugal und Griechenland fünf Revolutionen in knapp zwei Jahren; Kongresse mit keinem weiteren Ergebnis als dem der Divergenz der Großmächte, die sich doch in der europäischen Allianz verbunden haben; Rußland vor Sanktionen gegen die den griechischen Aufstand so grausam

unterdrückenden Türken, Frankreich vor einem Eingreifen in Spanien, dessen Weltreich zusehends zerfällt; und bei allem Metternich abwartend, dem Sultan geneigter als den Griechen, gewillt, alle schwebenden Fragen einem neuen Kongreß zu überantworten. Müssen denn noch mehr unschuldige Menschen hingeschlachtet werden, bis der Gewalt Einhalt geboten wird! Du wirst, lieber Freund, in der Zeitung mit dem gleichen Entsetzen wie ich gelesen haben, welches Blutbad die Türken vor 14 Tagen auf Chios angerichtet haben. Die Hiobsbotschaften von der Insel, die sich erst kürzlich der griechischen Freiheitsbewegung angeschlossen hatte, sind nicht zu fassen: 23 000 Männer ermordet, 47 000 Frauen und Kinder in die Sklaverei verkauft, nur 5000 entkommen!

Und hier lebt man in bürgerlicher Ruhe, läßt sich einladen, vergnügt sich und sucht den geschäftlichen Profit, allenfalls beunruhigt durch die Zollvereinspolitik der Nachbarstaaten, die die Frankfurter Handelsautonomie, d. h. die Diktatur des Großhandels, beschränken könnte. Man fühlt sich in die Isolierung gedrängt, möchte dem Freihandel das Wort reden und weiß sich doch nicht zu entscheiden. Auch aus diesem Grund ist die Messe nicht mehr das, was sie früher war, während die Leipziger aus den mitteldeutschen Vereinbarungen profitiert und die ältere Frankfurter jährlich mehr überflügelt.

Nun, da die Messe mit dem heutigen Nickelchestag, dem Montag der dritten Meßwoche, der den Handwerkern und Tagelöhnern der Umgebung gehört, vorüber ist, will ich Dir ausführlich berichten.

Die Messe begann Dienstag vorvergangener Woche mit dem Geleitstag, an dem ursprünglich die fremden Meßkaufleute aus Nürnberg, Worms, Straßburg, Köln und anderen Städten an der Stadtgrenze empfangen und in feierlichem Zug unter allerlei Bräuchen, von denen allein die sonderbaren Meßbrezel übriggeblieben sind, in die Stadt geleitet wurden. Ich kam aus dem Dom, als die große Meßglocke Schlag halb zwölf zu läuten begann und allenthalben die Kinder aus den Häusern jubelnd auf die Gasse sprangen und, wie es in Frankfurt immer noch Brauch ist, aus vollem Hals „Mei Meß, mei Meß!" schrien, damit der, dem sie zuvorkamen, ihnen ein „Meßstück" kaufte.

Frankfurts Lage im Kreuzungspunkt der wichtigsten Post- und Handelsstraßen von Europa, seine Mittlerrolle zwischen Nord und Süd, lassen die altberühmte „Filia Mercurii" auch heute noch trotz der Leipziger Konkurrenz als den großen Transito-Mittelpunkt des europäischen Festlandhandels erscheinen. Es steht in seinen Umsatzzahlen nur Hamburg nach und gilt für den sechsten Wechselplatz von Mitteleuropa. Der Warenumschlag soll noch in jeder Messe 4 bis 6 Millionen Gulden betragen, im ganzen Jahr über 40 Millionen, woraus sich leicht ablesen läßt, daß die Frankfurter auch zwischen den beiden jährlichen Messen Geschäfte zu machen verstehen, den Rückgang der Messe also wohl verschmerzen können.

Fast sah es so aus in diesen Tagen, als gehörte die Stadt den Fuhrleuten, die in ihren blauen Kitteln mit Hü und Hott und Peitschenknall sich mühten, die mit Leinwand überspannten, mitunter von 12 Pferden

gezogenen Frachtwagen in die großen Handelshöfe zu bugsieren. Ich kam einmal dazu, wie 150 Zentner vor einem Tor abgeladen werden mußten, weil die Durchfahrt zu niedrig war. Namentlich in der Fahrgasse und in der Friedberger Gasse reiht sich ein Gasthaus an das andere, von wo die Frachten mittels einspänniger Rollwagen der sogenannten Einzler an die Adressaten verteilt werden. Sie befördern auch die Wasserfrachten in die Stadt und bilden nach alter Gerechtigkeit eine Gesellschaft von 29 Personen oder Eigentümern. Ihren gewöhnlichen Standplatz haben sie zwischen Holzpförtchen und St. Leonhardstor.
Der Meßfremde, wie man den auswärtigen, die Messe besuchenden Kaufmann hier nennt, wohnt in der Regel bei seinem Frankfurter Geschäftsfreund. In Regalen und auf Tischen, in den Fluren und auf Gängen der Frankfurter Handelshäuser, in den Klappläden der Höfe und in rasch aufgeschlagenen Holzbuden der belebtesten Straßen und Plätze breitet er seine Waren aus, um sie teils zu verkaufen, teils den Detailhändlern als Muster zu offerieren. Die größten Meßlager findest Du im Römer, im Braunfels am Liebfrauenberg und im Leinwandhaus am Dom, die längsten Budenstraßen am Main, in der Neuen Kräme, auf Römer- und Liebfrauenberg, in der Schnurgasse, aber auch um die Katharinenpforte, wo besonders die Bijouterie- und Uhrenfabrikanten aus der Schweiz ihre Magazine haben. Das in seinen Boutiquen und Galerien größtenteils neu erbaute Haus Braunfels, früher eine berühmte Kaiserherberge, dient jetzt besonders zum Verkauf von Luxuswaren und ist der eigentliche Bazar der Damen. In dem mit Quadern gepflasterten, ringsum mit Läden umgebenen Hof befindet sich das Frankfurter Börsenlokal, wo man sich außer sonntags täglich zur Mittagsstunde zu versammeln pflegt.
Zur Messe gehören die „Meßbelustigungen" in allerlei Schaubuden rund um den Paradeplatz hinter der Hauptwache: zoologische Merkwürdigkeiten, Raritätenkabinette, Puppen- und Marionettenspiele, equilibristische, optische, magische, mechanische und zirzensische Schaustücke und viel Musik, teils von Musikkapellen, teils von Drehorgeln in der ganzen Stadt, kurzum Jahrmarktstrubel, wie ihn das Volk sucht und schätzt. Zum „Dippemarkt", zu den Gothaer Schuh- und Stiefelbuden, zu den Nürnberger Lebküchlereien und Spielwarenständen sah ich die Frankfurter Hausfrauen in Scharen eilen, um feilschend ihren Jahresbedarf zu decken. Mit ihren Mägden, die unter großen Körben ächzten, kehrten sie dann glücklichen Herzens heim.
In der Buchgasse liest man noch an manchen Häusern „Officina libraria", allein das einstige Zentrum der deutschen Gelehrsamkeit, wo die Autoren ihre Manuskripte an die zahlreich versammelten Buchhändler und Buchdrucker verkauften, ist heute verödet, seit eine scharfe kaiserliche Zensur, schließlich 1726 eine große Feuersbrunst, die Bücherlager von vielen 100 000 Gulden zerstörte, Buchhändler und Literaten nach Leipzig abwandern ließ. Zwar gibt es in Frankfurt noch 20 Buchhandlungen und 15 Druckereien, aber das Buchgeschäft leidet durch die Konkurrenz der in Mode gekommenen Leihbibliotheken und Lesezirkel.

Am wichtigsten ist jetzt auf der Messe der Handel mit Tüchern, Kasimiren,

Franz Joseph Manskirsch: Obermainkai mit Stadtbibliothek und Alter Brücke (Ausschnitt). 1825.

Johann Friedrich Morgenstern: Mainkai vor dem Fahrtor.

Johann Friedrich Morgenstern: Der Dom von Süden mit Schirnen.

Strümpfen und anderen Wollwaren, mit gedruckten Baumwollzeugen, Kattunen, Zitzen, Kalikos usw., mit Muslinen, Brabanter Spitzen, mit Leder aller Art, mit Eisen- und Stahlwaren, mit Gold- und Silberwaren, mit Bijouterien und Quincaillerien, mit allen Gattungen von Uhren, mit Fetten und geräuchertem Fleisch.

In dem das ganze Jahr betriebenen Frankfurter Zwischenhandel spielen zwar die Kolonial- und englischen Manufakturwaren nicht mehr die frühere Rolle, seit die Engländer ihre Waren um Spottpreise an den Mann zu bringen suchen, dafür aber ist der Handel mit französischen und italienischen Seidenwaren immer noch rege. Besonders lukrativ ist der Frankfurter Woll-, Holz- und Weinhandel, welch letzterer obenan steht. Man sagt wohl zu recht „Frankfurt hat mehr Wein in den Kellern als Wasser in den Brunnen". Das bestätigt auch der hohe Preis der Kellermieten. Die Abgaben von eingelagertem und verbrauchtem Wein gehören zu den ansehnlichsten Einkünften der Stadt. Die Basis ist der Rheinwein, doch werden auch gute Geschäfte in französischen Weinen gemacht. Die Hauptlieferungen gehen in die norddeutschen und skandinavischen Länder, neuerdings auch nach Rußland. Das Holz kommt aus Franken und findet teils in Frankfurt und seiner Umgebung selbst, teils in Holland den sichersten Absatz. Dies sind die vielen Flöße, die Du hier fast täglich den Main hinabschwimmen siehst. Die aus Böhmen, Mähren, Sachsen und Württemberg gelieferte Schafwolle kaufen besonders die niederländischen Tuchfabrikanten. Recht einträglich ist auch der Handel mit roher italienischer Seide, auf den sich einige renommierte Frankfurter Häuser stützen. Sie haben in Oberitalien ihre eigenen Comptoirs und beliefern einen großen Teil der deutschen Fabriken.

Aus dem Speditionshandel blüht das Bankgeschäft, und es war für mich interessant zu hören, daß allein im Wechselgeschäft jährlich 120 bis 140 Millionen Gulden umgesetzt werden. Dazu kommen die vielen Anleihgeschäfte, wobei der Name des Unternehmers schon Kredit gibt, und die Geschäfte in Staatspapieren, für die Frankfurt jetzt die Hauptbörse von ganz Deutschland geworden ist, kein Wunder bei dem regen Spekulationsgeist des Frankfurter Kaufmanns, der wegen seiner Umsicht und Solidität bekannt ist, vorsichtig kalkuliert, weshalb man auch selten von Fallimenten hört.

Prototyp des christlichen Kaufmanns und Bankiers ist Herr Simon Moritz von Bethmann, 54 Jahre alt, der die Vorzüge eines erfahrenen Welt- und Geschäftsmannes mit den seltensten Bürgertugenden vereint. In ihm finden Wissenschaft und Kunst sowie jedes gemeinnützige Streben einen ebenso verständigen wie freigebigen Förderer, die Bedrängten ein offenes Ohr und bereite Hilfe, das Frankfurter Gemeinwesen kräftige Stütze in Rat und Tat. Bei ihm, den Kaiser Alexander von Rußland zum Generalkonsul und Staatsrat ernannte, der die Frankfurter Belange in Paris und Wien vertreten hat, verbrachte Napoleon die zweitletzte Nacht auf deutschem Boden, und es war Herr von Bethmann, der von Napoleon die Schonung der Stadt erwirkte. Vor 14 Tagen starb seine im hohen Alter erblindete Mutter, eine tüchtige und ehrenwerte Frau, die unter

großer Anteilnahme der ganzen Bevölkerung am 19. m. c. zu Grabe getragen wurde.
Um fünf Jahre jünger ist sein jüdischer Konkurrent, Herr Amschel Mayer von Rothschild, der älteste der fünf Söhne des 1812 verstorbenen Mayer Amschel, der sich aus kleinsten Anfängen in der Judengasse zum europäischen Finanzdiktator hochgearbeitet hatte. Die Brüder führen heute die Filialen in Paris, Wien, Neapel, London und Frankfurt, und, solange sie untereinander einig sind, wird die Machtstellung des Hauses Rothschild, welche es sich durch seine enormen Staatsanleihen in den europäischen Kabinetten verschafft hat, nicht zu brechen sein.
Soweit zum Frankfurter Handel. Was die übrigen Gewerbe anlangt, so sind Manufakturen und Fabriken in Frankfurt ohne Bedeutung. Außer acht Tabakfabriken, einigen Zuckersiedereien und einer im Vorjahr errichteten Teppichmanufaktur gibt es kaum Etablissements von einiger Bedeutung. Engherziger Brotneid und lächerliches Festhalten an veralteten Institutionen, aber auch der hohe Arbeitslohn sind schuld daran, daß sich das Fabrikwesen in Frankfurt nicht entfalten kann. Wo Zunftzwang herrscht, ist freier Wettbewerb nicht möglich. Die Nutznießer einer obrigkeitlich gesicherten „bürgerlichen Nahrung" wachen eifersüchtig darüber, daß kein Außenseiter Vorteil gewinnt. Und welche Zünfte es gibt und wie stark sie sind, das wirst Du nicht für möglich halten: am zahlreichsten sind mit 186 Meistern die Schneider, gefolgt von den Schustern, Metzgern, Schreinern und Faßbindern. Selbst die Kunstmaler bilden eine besondere Innung, was manchen begabten Künstler wieder von Frankfurt vertrieben hat.
Wenn es auch an Arbeitern in Frankfurt eigentlich fehlt, so kommen saisonweise doch Scharen von „Fulder" herbei. Diese ehrlichen, fleißigen Leute sind hier sehr gesucht und helfen den Gärtnern usw. den ganzen Sommer hindurch. Für den Winter gehen sie dann in ihre Dörfer um Fulda oder sonst im Hessenland zurück und bringen sich mit Heimarbeit durch, wenn sie sich nicht ganzjährig als Hausdiener oder Handlanger verdingen.
Da Frankfurt allgemein im Wohlstand lebt und es keine wirkliche Armut gibt, so findest Du selbst im Mittelstand jene Solidität, die äußeren Flitterflimmer haßt. Was Du von Gold und Silber siehst, ist massiv und echt, und die sorgsame Hausmutter bewahrt in ihren Schränken einen teuren Vorrat an Weißzeug und Linnen. Die Häuser der alten Stadt, von außen anscheinend baufällig, sind im Innern meist gemütlich und geschmackvoll eingerichtet.
Es hat der Frankfurter Kaufmann aber auch von jeher der Not gesteuert, und es stimmt nicht, was man mitunter sagen hört, daß er kein Herz, sondern nur ein Einmaleins in der Brust habe. Wo Wohltun selbstverständlich ist, konnten so vortreffliche „Milde" und andere Stiftungen erblühen wie das Bürgerhospital, das Waisenhaus, das Heiliggeist-Hospital, das Versorgungshaus und der Allgemeine Almosenkasten.
Der Allgemeine Almosenkasten verteilt an Hausarme Geld, Brot, Holz, Kleidung, Arznei usw., wozu in jedem Quartier Armenärzte und -pfleger

Am Untermaintor

eingeteilt sind. Dem Almosenkasten ist das „Kastenhospital" (Irrenhaus) angeschlossen, das sich hinter dem Comödienplatz befindet. Das Heiliggeist-Hospital ist die älteste, noch ins Mittelalter reichende Frankfurter Stiftung. Es verfügte in seinem allerdings veralteten Gebäude in der Nähe des Saalhofs über 5 Krankensäle mit 80 Bettstellen, sämtliche mit Gardinen umgeben. Hier finden alles erkrankte Gesinde und alle Handwerksgesellen christlicher Religion, die bei Bürgern oder Beisassen in der Stadt und ihrer Gemarkung in Diensten stehen, unentgeltliche Pflege. Das Bürgerhospital nahe beim Eschenheimer Turm gehört zum Senckenbergischen Stift. Erweitert durch neuere ansehnliche Vermächtnisse kann es heute über 60 Kranke aufnehmen. Die weiblichen Kranken liegen im Erdgeschoß, die männlichen im oberen Stockwerk. Venerische und ansteckende Kranke werden nicht aufgenommen.
Im Waisenhaus werden gegen 100 Knaben und 60 Mädchen in den notwendigsten Kenntnissen unterrichtet. Außer der Schulzeit werden die Knaben zur Haushaltung wie Gartenbestellung, Holzmachen usw. angehalten, während die Mädchen in der Küche helfen. Die Schlafsäle der Kinder sind geräumig; man schläft in Federbetten. Die jüngste Wohltätigkeitsanstalt Frankfurts ist das 1816 gegründete Versorgungshaus, das alte, arbeitsunfähige Leute als Pfründer ernährt und arbeitsfähigen Pfleglingen die notwendige Beschäftigung gibt.
Ich bin heute so viel in der Stadt herumgelaufen und todmüde. Das Zimmer im Weidenbusch habe ich nicht länger halten können und mich bei einem Gärtner vor dem Eschenheimer Tor um zwei Drittel wohlfeiler einquartiert. Es ist eine Lust, im Frühling ganz von Grün umgeben zu sein, und ich kann die Frankfurter sehr wohl verstehen, die vor den Toren ihre Sommerwohnungen haben und sich jetzt schon rüsten, sie zu beziehen. Von der angenehmen Lage Frankfurts will ich Dir das nächste Mal berichten.

Lebe wohl, mein Freund. Ich habe heute nichts mehr hinzuzufügen als meinen Dank für die herzlichen Zeilen vom 14. m. c., in denen Du fragst, ob der Roßmarkt immer noch der tägliche Sammelplatz des Weideviehs ist. Man hat der neuen Zeit endlich Rechnung getragen und läßt seit Februar den Austrieb in der Alten Gasse beginnen, von wo das Vieh um die Stadt herumgeführt wird.
Es grüßt Dich

Dein * * *

Frankfurt am Main, den 29. Mai 1822

Der Frühling, lieber Freund, ist allerorten die schönste Jahreszeit, aber in Frankfurt empfindet man ihn doppelt schön, wenn man in den Gärten wohnt. Nirgends in Deutschland springen früher die Knospen als in der Gegend um Frankfurt, wo das Taunusgebirge die kalten Nordwinde abhält, der geringe Schnee sich in der milden Witterung der Mainebene nicht halten kann und die Frühjahrssonne alles Leben zeitiger hervorlockt.
Um so gefürchteter sind die späten Fröste, die noch im Mai über Nacht hereinfallen und an den südlichen Gewächsen und empfindlichen Blüten die schwersten Schäden hervorrufen können.
Nicht so in diesem Jahr, das uns nicht zu frühe Ostern und dementsprechend auch warme Pfingstfeiertage beschert hat. Die fruchtbaren Hügel rings um die Stadt waren von blühenden Bäumen herrlich überdeckt, jetzt reifen schon die ersten Kirschen, und in den Gärten wird emsig der Spargel gestochen. Oleander und selbst Feigenbäume, die hier in Kübeln im Freien gedeihen und jährlich reife Früchte bringen, haben die Glashäuser verlassen und ihre gewöhnlichen Standorte auf den Hausterrassen oder im Gartenparterre erhalten. Im Senckenbergischen Garten sind die mediterranen Landschildkröten, die Dr. Rüppell im vorigen Jahr geschickt hat, zu neuem Leben erwacht und freuen sich der warmen Frühlingssonne.
Alles ergeht sich im Freien, wenn es nur die Zeit erlaubt. Und wenn schon seit einigen Wochen sich viel Leben vor die Tore zieht, so machst Du Dir doch keinen Begriff, was an Pfingsten hier gefällig war. Das quoll nur so aus der Stadt, Groß und Klein, Christ und Jude, Reich und Arm, alle wollten sie, nun schon im wievielten Jahr, ihre Anlagen genießen, die der seinerzeitige Maire Guiollett und der Kunstgärtner Rinz anstelle der alten Wälle hervorgezaubert haben. Sie folgen genau den Ecken der elf Sternbastionen, die eine kriegerische Zeit zum Schutz der Stadt für notwendig hielt. Nun, da die Frankfurter, selbst nie sehr militant und lieber geschäftig, darauf vertrauen, in künftigen Auseinandersetzungen als offene Stadt geachtet zu werden, erfreuen sie sich des Fortschritts der neuen Zeit.
An die Stelle der alten, düsteren Tore sind freundliche, nur zur Nachtzeit mit Staketen verschlossene Passagen getreten, zwischen neuen, antikisierenden Wachthäusern, das Bockenheimer Tor im griechischen, das

Schaumaintor

Allerheiligentor in italienischem, das Affentor in toskanischem Stil, und so fort. Von den alten Tortürmen blieb nur der Eschenheimer Turm erhalten, wie man sagt allein auf Fürsprache des französischen Gesandten, denn die Frankfurter hätten gern reinen Tisch gemacht, den Senckenbergischen Stiftsgebäuden mehr Licht und der Nordpassage mehr Raum gegönnt. So geht der Hauptverkehr in nördlicher Richtung nach wie vor durch das Friedberger Tor, während das Eschenheimer wie auch das Galgentor mehr zu Spazierfahrten benutzt wird.
Zwischen Eschenheimer und Bockenheimer Tor ist die Promenade am belebtesten, wenngleich die Teile im Westen und Osten der Stadt nicht minder schön angelegt sind. Aber während sich hier die Mittelklasse ergeht und solche, die mehr die Einsamkeit suchen, trifft sich dort alles, was keinen Aufwand scheut, sich sehen zu lassen und gesehen zu werden. Besonders um die Mittagszeit zwischen 12 und 1 nimmt das Gedränge so zu, daß man kaum einander begegnen und sich doch nicht enthalten kann, den andern zu lorgnieren und in seinem Aufzug zu kritisieren. Währenddem halten die Equipagen außerhalb der Barrieren ständig gleichen Schritt, damit die Herrschaften jederzeit wieder einsteigen können. Reiter mit guter und mehr mit schlechter Figur kapriolieren auf und ab. Nach einer Stunde, so man sich 10 bis 20 Mal begegnet, genug begafft und sattsam belästert hat, verfliegt der ganze Spuk.
Ich, der ich im Schatten einer Hängebirke auf einer der reichlich vorhandenen steinernen Ruhebänke sitzengeblieben war, hatte die Promenade fast für mich allein und hinreichend Gelegenheit, über die Eitelkeit der Welt nachzusinnen. Wer mag von all jenen, die hier ihre Kleider, Hüte, Pelze, Federn, Brillanten, Equipagen und Pferde zeigten, wirklichen Sinn für die Natur gehabt haben, die sich gerade jetzt in so verschwenderischer Fülle entfaltet. Da wechseln, sorgsam unterhalten und geschützt, die schönsten und seltensten Bäume in geraden Alleen mit schattigen Gängen einheimischer und ausländischer Sträucher, Blumenrabatten mit sanft modellierten Rasenplätzen. Außerhalb dieses

grünenden, blühenden, duftenden Gürtels, der sich rings um die Stadt zieht, jenseits des mit italienischen Pappeln bepflanzten Fahr- und Reitwegs lachen Dich die Frankfurter Sommergärten an mit ihren reizenden Pavillons. Westlich der Gallusanlage aber dehnen sich die Korn-, Weizen- und Kartoffeläcker des weiten, noch unberührten Galgenfeldes. Der Galgen ist zwar in unserer aufgeklärten Zeit verschwunden, und nur das Fundament erinnert noch an das einstige Hochgericht. Daß er aber hier stand, mag der Grund dafür sein, daß die Spekulation, die allenthalben die Kunstgärtnereien in Stadtnähe zurückdrängt, hier noch nicht zugegriffen hat. Aber wie lange wird man hier den Sonnenuntergang noch genießen können? Noch reicht der Blick am Beginn der Mainzer Landstraße nach rechts bis zu den Taunushöhen, nach links bis zur Horizontlinie des Stadtwaldes.
Die schönsten Lustgärten und Landhäuser – nur Hamburg zählt noch mehr –, in denen sich der Frankfurter Geschäftsmann zur Sommerzeit im Kreise seiner Familie und bei splendabler Geselligkeit erholt, findet man längs der Bockenheimer Landstraße, die älteren auf der Nordseite, neuerdings auch am Weg nach den Kettenhöfen, und beiderseits des Mains unterhalb der Stadt, auf diesem wie auf jenem Ufer. Einige bevorzugen den Mühlberg oberhalb Sachsenhausen, von dem man einen prächtigen Blick auf die Stadt genießt. Frankfurter Gartenfeste haben Tradition und sind berühmt ob der dabei hinsichtlich Bewirtung, Unterhaltung und magischer Gartenbeleuchtung getroffenen Arrangements. Ich freue mich, demnächst selbst eingeladen zu sein. Der Gartenstil wechselt jetzt vielfach vom französischen in den englischen Geschmack, doch ist überall auch dem Nutzgarten ein großer Teil eingeräumt, und nicht selten wird der häusliche Wein- und Obstbedarf an geeigneten Spalieren gezogen.
Die Villen sind ganz unterschiedlich: Gewöhnlich quadratische, der Mauer aufsitzende, mit einem Zeltdach gedeckte Pavillons, aber auch mehrachsige barocke, jetzt auch klassizistische Landhäuser, die eine größere Prachtentfaltung ermöglichen. Häufig finden sich in den Gärten kunstvolle Carroussels und mitunter auch kostspielige Badehäuser, deren Wasser sich erwärmen läßt.
Auf meinen stadtnahen Spaziergängen, deren schönster mich durch die Zimmerwiesen, am Rüstersee vorbei zu den in ländlicher Abgeschiedenheit kaum eine halbe Stunde vor der Stadt gelegenen Kettenhöfen geführt hat, habe ich in hundert anmutige Lustgärten über die Mauer gespäht. Mit der Entwicklung Frankfurts zur Gartenstadt, die von allen Reisenden wie von den Frankfurtern selbst als schlechthin das Neue unserer Zeit empfunden wird, findet endlich die Forderung Rousseaus nach mehr Naturverbundenheit breitere Verwirklichung.
Aber erst die Befreiung Frankfurts aus mittelalterlicher Enge hat dies möglich gemacht. Vordem war es nicht gestattet oder doch nicht ratsam, auf dem Glacis im Schußfeld der Kanonen zu bauen, und die wenigen Patrizier, die seit alters auf ihren Höfen rund um die Stadt saßen, die Holzhausen, Glauburg, Knoblauch, Heller usw., haben mehr als einmal die Kriegsnot zu spüren bekommen, wenn ihre Landsitze in Flammen

Schwimmschule am Untermaintor

aufgingen, während die Bürger der Stadt den Schutz der Mauern genossen.
Nun genug hiervon. Gestern erreichten mit dem sogenannten Wäldchestag die Pfingstfeiertage ihren Höhepunkt. Es ist ein Volksfest, das hier dienstags an die kirchlichen Feiertage angehängt wird und dem sich so leicht keiner entzieht. Schon vormittags wurde es totenstill in der Stadt. Alles strömte hinaus in den Stadtwald zu den beliebten und herkömmlichen Festplätzen, und die wenigen, die in der Stadt zurückblieben, meist nur Alte, Kranke und Pflegebedürftige, hättest Du zählen können.
Auch ich machte mich beizeiten auf den Weg zur Überfahrt am Untermaintor, wo sich auf der ehemaligen Mühlinsel die Schwimmanstalt des löblichen Herrn Kleeblatt befindet. Der alte Schiffer, der mich und eine ganze fröhliche Gesellschaft, die sich aufs „Wäldche" freute, in seinem Nachen übersetzte, hat mir einiges von dem Salzsieder aus Halle und früheren Seiltänzer, jetzigen Schwimm- und Badevater der Freien Stadt erzählt. Berühmt sind seine abendlichen pyrotechnischen Schwimmfeste, wobei die Knaben des Waisenhauses mit Kronen auf dem Kopf feuerspeiend umherschwimmen. Leider war ich vergangenen Freitag verhindert, sonst hätte ich die Attraktion, die immer viel Zuschauer findet, anläßlich der Eröffnung der diesjährigen Schwimmsaison selbst erleben können.
Es ist ja zu bedauern, daß sonst die Turnbewegung durch die Ausschreitungen unserer studentischen Jugend und die Demagogenverfolgung so in Mißkredit gekommen ist. Auch in Frankfurt hatte der Turnvater Jahn auf der Pfingstweide einen Turnplatz eingerichtet, den Geheimrat von Willemer in einer besonderen Schrift warm empfohlen hatte. Nun muß das der Gesundheit so förderliche Turnen leider offiziell verboten sein, wenn es auch einige Unentwegte auf dem Riedhof weiter betreiben.

Den Sandhof, der Herrn von Bethmann gehört, erreicht man unterhalb der letzten Sachsenhäuser Villen auf einem schattenlosen Fußpfad, der teils durch wohlbestellte Felder, teils durch feuchte Wiesen führt. Zwei Eckpavillons beschließen einen gleich hohen Verbindungsbau in den Formen des Frankfurter Spätbarocks. Dahinter dehnt sich eine weite Ökonomie. Aus dem im ersten Stock gelegenen Saal genießt man eine schöne Fernsicht auf Main, Stadt und Taunusberge. Der im englischen Stil gehaltene Garten ist durch seine ansprechenden Anlagen sehr einladend, so daß sich jederzeit, besonders aber sonntags und zur Messezeit, viele Fremde aller Gegenden zahlreich hier versammeln und bei Tanz und Wein es sich gut sein lassen.
Vom Sandhof, wo ich zu Mittag speiste, war es nur ein kleiner Verdauungsspaziergang bis zu dem Dorf Niederrad, wo gleich links vom Dorfeingang vis-à-vis der Müllerschen Baumwollfabrik sich das eigentliche Wäldchen befindet, seit langem der Zielpunkt des Frankfurter Mittelstandes am Pfingstdienstag. Viele Tausend waren es auch gestern, die dem mit Tischen und Bänken besetzten, buchenumstandenen Platz am Rand des Forstes zustrebten, im schattigen Waldgrün Schinken und Würste, Braten und Geflügel, Kuchen und Pasteten auspackten und sogleich zu schmausen begannen. Dabei leerten sich auch die mitgebrachten Flaschen. Ich habe mir sagen lassen, daß man auch sonst hier gerne weilt und daß Niederrad bei vielen Frankfurtern als Sommerfrische beliebt ist, weil der nahe Forst den Aufenthalt daselbst sehr angenehm macht.
Meine Exkursion war aber noch nicht beendet, die letzte Etappe meiner Wäldchesfahrt, das Oberforsthaus, noch nicht erreicht. Zwar liegt es nur eine Viertelstunde waldeinwärts, aber vielen, die schon zu tief ins Glas geschaut hatten, schien der Weg recht sauer. Einzeln oder in Gruppen lagen die fröhlichen Zecher im Wald verstreut. Sie blieben, wo es ihnen gefiel, und machten jede Lichtung zum Tanzplan.
Was das Wäldchen für den Mittelstand, ist das Oberforsthaus besonders für die höhere Schicht, und kein Belustigungsort um Frankfurt wird zu gleicher Zeit von so viel Reitern und Chaisen besucht wie das Forsthaus an jedem gewöhnlichen Sonntagnachmittag. Du kannst Dir den Trubel vorstellen, der gestern am Wäldchestag hier herrschte. Fast fühlte ich mich an die Promenade am Pfingstsonntag erinnert. Auch hier wieder das bunte Gewimmel der modesüchtigen Welt, die Lust zu sehen und gesehen zu werden. Dabei wird der Genuß des Tages gesteigert durch die feine Kochkunst und hervorragende Bewirtung der Frau Oberförsterin, die aus Küche und Keller das Vollkommenste zu zaubern versteht. Ich hatte mich am späten Nachmittag mit einer Pastete und einer Flasche Rheinwein in eine weniger bedrängte Ecke zurückgezogen und den angenehmsten Gefühlen überlassen, die nur irgendein Gaumenkitzel auszuüben vermag. Währenddes vergnügte sich auch hier das weniger betuchte Volk in dem nahebei gelegenen Lustwäldchen, einem eingezäunten lichten Waldplatz mit Brunnen, Tischen und Bänken, in feucht-fröhlicher Geselligkeit bei Essen, Trinken, Singen, Spiel und Tanz, zu erhörter und versöhnter Liebe bereit in den schattigen Gängen des Stadtwaldes.

Nirgends wird wohl das Pfingstfest fröhlicher gefeiert als in Frankfurt, und als mit einbrechender Dunkelheit der Rückstrom der Equipagen, Leiterwagen, Reiter und Fußgänger begann, gab es immer noch Unentwegte, die sich den Teufel um die Torsperre scherten und vielleicht die ganze Nacht im Freien blieben. Ich trollte mich mit den letzten. Über die Chaussee, wo zahllose Drehorgelspieler sich ebenfalls zur Heimkehr rüsteten, vorbei am Bethmannschen Park Louisa, wo noch die Windlichter brannten, erreichten wir nach einer guten Stunde das Affentor, eben noch vor Torschluß, um ohne Entrichtung des „Sperrbatzens" in Höhe von vier Kreuzern eingelassen zu werden.
Nicht gerade leise zog ich mit meinen zufälligen Kumpanen durch Sachsenhausen über die Brücke nach Frankfurt. Dann hieß es sich sputen, denn um in mein Quartier zu kommen, mußte ich aus dem Bockenheimer Tor auch wieder raus. Das Eschenheimer hat keine Nachtpassage. Die Stocklaternen an den Häusern verbreiteten nur ein spärliches Licht. Fast hätte ich mich in den nächtlichen Altstadtgassen verlaufen, doch der Nachtwächter zeigte mir den Weg, und gerade eben in den letzten Minuten vor Mitternacht, wenn das Tor unweigerlich verriegelt wird, ließ man mich hinaus. Todmüde und doch glücklich, Frankfurt auch von dieser Seite kennengelernt zu haben, fiel ich ins Bett.
Du siehst, lieber Freund, es gibt für den in Frankfurt Fremden auch noch nach fünf Monaten Neues zu entdecken, und ich denke, die restliche Zeit meines Hierseins wird es ebenfalls an Abwechslung nicht fehlen. – Heute feiert man den letzten der fröhlichen Frühlingstage mit der öffentlichen Speisung der Waisenkinder auf der Pfingstweide vor dem Allerheiligentor. Unter den großen Linden am Pfingstborn wird ihnen eine reiche Tafel bereitet, an der sie gegen 12 Uhr in ihren blauen Kittelchen, geführt von ihren Lehrern und angesichts unzähliger Zuschauer Platz nehmen. Von wohlwollenden Menschen reich beschenkt, kehren sie dann ins Waisenhaus zurück. Kalbsbraten, Reis, Salat und Bier gibt's für die armen Kinder nicht alle Tage.
Lebe wohl und sei herzlich gegrüßt

von Deinem * * *

Frankfurt am Main, den 17. Juli 1822

Es ist schon so, lieber Freund, wie ich Dir schrieb, in einer so lebendigen Handelsstadt gilt nur das Neue, das Alte wird gering geachtet, weil es im Wege steht, unpraktisch oder einfach nicht mehr zeitgemäß ist. Man erlebt dies in Frankfurt täglich und überall. Der Eschenheimer Turm ist fürs erste davon gekommen, aber nun reißt man am Ende der Zeil das erst 1753 für die Konstabler errichtete Wachgebäude ab, das freilich den Verkehr vom und zum Allerheiligentor sehr behindert. Die Wache wird in das dahinter befindliche ehemalige Zeughaus verlegt. Die wenig ältere, schönere und größere Hauptwache am Paradeplatz bleibt freilich

erhalten, aber für wie lange? Dann wird auch hier der rapide zunehmende Verkehr sein Recht verlangen.
Das Palais des Fürsten Thurn und Taxis in der Großen Eschenheimer Gasse wird nun auch bald hundert Jahre alt und entspricht schon nicht mehr dem Zeitgeschmack. Aber der in bestem, wenn auch einfachem Stil errichtete Palast, der schon dem Großherzog von Frankfurt zur Residenz diente, ist als Bundespalais aufgewertet worden. Hier finden die Sitzungen der Deutschen Bundesversammlung statt, und der österreichische Präsidialgesandte bewohnt eine Suite der prächtigsten von 140 Zimmern. Die Fußböden sind mit Nußbaumholz eingelegt, die Wände abwechselnd mit vergoldeten Stukkaturen, kunstreichen Brüsseler und Pariser Tapeten und großen Spiegeln geschmückt, die Decken, besonders in den Sälen des von zwei Flügeln begleiteten Hauptgebäudes, mit allegorischen Gemälden kostbar dekoriert. In den weiten Hof gelangt man durch einen von zwei Pavillons eingefaßten Portalbau, der das Grundstück nach der Eschenheimer Gasse abschließt.
Die Frankfurter, selbst durchaus nicht fürstenfreundlich, haben damals, als der Generalpostmeister nach Frankfurt zog und auch Kaiser Karl VII. für einige Zeit hier residierte, ihr altes Rathaus, den Römer, zu modernisieren versucht und namentlich ein modernes Treppenhaus von Colomba ausmalen lassen. Aber wenn Du heute in den Römer kommst, bist Du recht enttäuscht. Schon das Äußere der einfachen altfränkischen Giebel ist unansehnlich. Innen ist es finster. Die ungeregelte Bauart, das Gewirr von ineinandergeschachtelten Häusern, Fluren, Treppen und Zimmern ist einer Stadt wie Frankfurt zum Rathaus eigentlich nicht würdig, und die Tatsache allein, daß hier die Kurfürsten sich zur Beratung vor den Kaiserwahlen versammelten – das Zimmer ist heute Ratsstube – und daß der Neugekrönte im Kaisersaal Bankett hielt, beseitigt nicht den schlechten Eindruck. Im Kaisersaal verdecken leider die hohen Bücherschränke der Stadtbibliothek die in Nischen angebrachten Kaiserbildnisse. Auch der Vorsaal vor dem Kurfürstenzimmer ist mit Brettern abgeteilt und entstellt, so daß das Deckengemälde von Leimberger nicht zur Wirkung kommt. Am besten gefiel es mir bei der sommerlichen Hitze in den zu ebener Erde gelegenen, auf mächtigen Pfeilern ruhenden Gewölben, welche zur Meßzeit von Einheimischen und Fremden mit Kaufläden besetzt werden.
Als ich wieder draußen stand auf dem Platz, der nach der Mitte abfällt und den sie dennoch den „Römerberg" nennen, fiel mein Blick auf die kleine St. Nikolaikirche, die seit einiger Zeit wie so viele andere Kirchen in Frankfurt nicht mehr benutzt wird. Die Frankfurter würden sie, da im Innern düster, feucht und ungesund, am liebsten zugunsten eines nützlicheren Gebäudes abreißen. Sehenswert, wenn auch kaum beachtet, ist dagegen die einige Schritte flußab gelegene St. Leonhardskirche, weniger in ihrem unübersichtlichen Äußern, als vielmehr wegen ihres sehr ansprechenden Innern. Die hohen, in brennenden Farben leuchtenden Glasfenster sind die besten ihrer Art in Frankfurt, und das hängende Gewölbe einer Seitenkapelle sucht seinesgleichen an Kunstfertigkeit. Das

Altarblatt von Stieler, den hl. Leonhard darstellend, hat der verstorbene Großherzog der Kirche geschenkt. Die nahebei gelegene Karmeliterkirche dient heute zur Kaserne des Linienmilitärs. Was unter diesen Umständen aus den Freskobildern des Kreuzganges, einer im 16. Jahrhundert gemalten 250 Fuß langen Darstellung der Heilsgeschichte, werden wird, läßt sich denken.
Ich übergehe die übrigen Kirchen, die wie die Weißfrauen-, Liebfrauen- und Katharinenkirche schätzenswerte Einzelheiten besitzen. Mich zog's vor allem in den Dom, die deutsche Wahl- und Krönungskirche, in der von 1705 bis 1792 allein fünf Kaiser gekrönt wurden. Leider ist der Dom von den schlechtesten Häusern, von Fleischer- und andern Buden häßlich umgeben, so daß eine totale Übersicht des stolzen Baues nicht zu gewinnen ist. Das reiche Frankfurt sollte wirklich das bedeutendste seiner historisch und architektonisch merkwürdigen Gebäude von diesen Verunzierungen befreien. Sind auch die Verhältnisse der Domkirche nicht tadelfrei (namentlich die beiden übergroßen Kreuzflügel fallen durch ihren nackten, geraden Querabschluß unangenehm auf), so überrascht das Innere durch die ansehnliche Höhe der Gewölbe und durch die antiken, mit kunstreichen Bildern noch jetzt verzierten Fenster, die ihr gebrochenes Licht auf die zahlreichen Altäre werfen, die teils aus Stein, teils aus Holz und mit schönem Schnitzwerk verziert sind. Die Wahlkapelle ist ein langes, unscheinbares Gewölbe, worin seit mehreren Jahrhunderten Deutschlands Herrscher gewählt wurden. Die größte Merkwürdigkeit des Doms ist nicht das Grab des einzigen hier ruhenden deutschen Königs Günther von Schwarzburg, sondern das 1384 von Meister Johann verfertigte Astrolabium. Die große astronomische Kunstuhr, deren Figuren stündlich erscheinen, steht im nördlichen Querhaus und wird von allen Fremden gebührend bewundert.
Uhren, von denen man die Zeit nehmen kann, gibt es sonst im alten Teil der Stadt nur zwei, die eine am Pfarrturm, die andre auf dem Rathaus. Letztere wird oftmals in ihrem Gang gehindert, Fledermäuse zu Hunderten suchen dahinter ein ruhiges Asyl und, wenn sie daraus vertrieben werden, kehren sie doch nach wenigen Tagen wieder zurück. In der neuen Stadt sind zwar fünf Uhren, die aber, außer der Uhr auf dem St. Katharinenturm, alle zu niedrig stehen und in ihrem Schlag kaum gehört werden, besonders seit die Häuser immer höher gebaut werden.
Der Domturm, hier Pfarrturm genannt, das weithin sichtbare Wahrzeichen der Stadt, ist 260 Fuß hoch, aber nur zu drei Viertel vollendet. Bis zur Wohnung des Türmers habe ich in der Schneckentreppe 312 Stufen gezählt. Das Geläut der Domglocken, von denen die ungeheure Karlsglocke 91 Zentner wiegt, ist vorzüglich schön, die Fernsicht, die man von der oberen Aussichtsgalerie genießt, unvergleichlich. Ich war daher auch nicht der einzige, der an diesem schönen Sommertag bis zum obersten Steingewölbe unter der runden Haube, der die Spitze noch fehlt, aufgestiegen war. Andere schauten wie ich in das luftige Zimmer, in dem viele Frankfurter Bürger früher Hochzeit zu feiern pflegten und in dem auch Kaiser Maximilian nicht verschmähte, sich bewirten zu lassen.

Und nun als Lohn des Aufstiegs das imposanteste Rundgemälde, das Du Dir denken kannst, der Blick ins weite, fruchtbare Land bis zu den Höhen des Taunus, Spessarts und Odenwaldes, die ganze reiche Frankfurter Gemarkung von über 15 000 Morgen vor mir ausgebreitet: die wohlbestellten Felder, die reizenden Gärten, die weidengesäumten Wiesengründe, die alten Baumgruppen, unter die sich die in der Gemarkung verstreuten Landgüter ducken, die nördlich und südlich der Stadt sich dehnenden Obsthaine, die Rebenhügel am Sachsenhäuser und Röder Berg und vor den nächsten Dörfern die altersgrauen Warttürme, die noch heute die Grenze der Frankfurter Gemarkung andeuten. Hochbepackte Handelswagen sah man aus den Toren kommen und sich auf den fünf Landstraßen entfernen, während Frachtschiffe der unterschiedlichsten Bauart und Größe den Fluß belebten. Ein Gedicht Gernings, das ich erst kürzlich gelesen hatte, fiel mir ein:

> Sieh, da pranget in reichem Gewand ein neues Corinthus.
> Hier den Süden vom Nord scheidet das heimische Land.
> Ihr gigantisches Haupt, ein Fremdling vergangener Zeiten,
> Schauet mit ernstem Blick in die Gefilde der Lust.
> Reihen von Pappeln und Rüstern schmücken das Tal und Platanen.
> Moenus Ufer umwehn Wimpel von fremdem Gestad.
> Auen und Forsten, Rebenhügel und Haine Pomonas,
> Gärten üppig erblüht, Dörfer mit stattlichem Reiz
> Kränzen die glückliche Stadt, wo Freiheit, Kunst- und Gewerbefleiß
> Zehn Jahrhunderte lang schützte Germanias Bund.
> Schöner umkränzen sie noch, anlockend, die Taunischen Fernhöhn,
> Wo das Auge so gern weilt mit dem stillen Gemüt.

Die breiten Bänder der Neubauten an der Zeil, am Roßmarkt, an der Neuen Mainzer Straße und den übrigen Wallstraßen leuchteten im Sonnenlicht. Die Baulust, die überall zu spüren ist, wird Frankfurt weiter verändern, so daß es vielen nach 20 Jahren als etwas ganz Neues erscheinen wird. Unter mir lag die Altstadt fast abweisend und finster unter ihren unzähligen verwinkelten Schieferdächern. Ich verspürte Lust, in der Schattenkühle der Altstadtgassen auf weitere Entdeckungen auszugehen und machte mich an den Abstieg. In den Gassen war es fast dunkel für den, der aus dem Sonnenlicht kam, und ich verstand jetzt, weshalb man das Fachwerk in breite Fensterbänder aufgelöst hatte, um in den engen Gassen noch so viel Licht, wie irgend möglich, für die Wohnungen einzufangen.
Am meisten Leben fand ich in der Fahrgasse und in deren Fortsetzung, der Friedberger und Vilbeler Gasse, wo sich der Nord-Süd-Verkehr von der Mainbrücke und dem Friedberger Tor trifft und ein Gasthaus am andern liegt. Welch ein Gewühl stehender und fahrender Güterwagen, welch ein Trubel, als um die erste Nachmittagsstunde die Darmstädter und Aschaffenburger Postwagen eintrafen! Die Postillone, ihre Vierspänner mit Sicherheit führend, kündigten ihr Kommen schon auf der Brücke mit

Überfahrt am Schaumainkai

einem lustigen Lied an. Die Fahrgasse ist auch der Standort der nach Süden gehenden Lohnkutscher und Frachtwagen, deren Course auf kleinen Holztafeln angegeben sind: retour nach Darmstadt, Heidelberg, Karlsruhe, Stuttgart, Straßburg, Basel, ja selbst nach Paris, Lyon und Mailand.
Einige der Altstadtgassen und -plätze sind regelrechte Märkte, auf denen die Hockinnen vor ihren Körben sitzen. Der Kräuter-, Obst- und Gemüse-, Butter- und Federviehmarkt dehnt sich vom Eingang des Römerbergs bis an die Domkirche. Der Viktualienmarkt ist auf dem Wollgraben, der Brotmarkt der Oberräder und Bornheimer Bäcker befindet sich hinter dem Lämmchen, der Singvögelmarkt in der Hasengasse. Vor allem aber liegen im 11. und 12. Quartier die 154 Metzgerschirnen, die eine besondere Eigentümlichkeit Frankfurts sind und von den Fremden entsprechend bestaunt werden. Getrennt nach Ochsen-, Schweine- und Hammelmetzgern wird hier aus den offenen Untergeschossen der Häuser Fleisch und Wurst verkauft. Die Gerüche, namentlich jetzt im Sommer, kannst Du Dir vorstellen. Der Rindvieh-, Pferde- und Schweineverkauf ist in dem „Goldene Luft" genannten Viehhof hinter der Judenmauer, wo ich durch Zufall eines montags früh hingeriet, als ich mich im Eingang der Judengasse versehen hatte. Der lang gestreckte Hof war erfüllt vom Feilschen der Händler, die ihr Geschäft mit Handschlag besiegelten, und dem Gebrüll der Tiere, die den Besitzer wechselten.
Die Judengasse mit ihren schmalbrüstigen, verfallenen, fast ganz aus Holz erbauten Häusern, in denen nur noch die ärmsten Schacherjuden und Trödler wohnen, habe ich schließlich schnellen Schrittes durchmessen. Ich verstehe nicht, wie Mutter Gudula Rothschild noch hier wohnen kann,

im Haus zum grünen Schild, da doch ihre Söhne das große Glück gemacht haben. Aber sie will die Stelle nicht lassen, wo ihr Mann begonnen hatte, mit Münzen zu handeln. In der Nähe liegt auch das kleine modrige Haus, in dem Börne das Licht der Welt erblickte. Man täte gut daran, dieses unserer Zeit unwürdige Elendsviertel niederzulegen.
Der Friedhof der Israeliten hinter der Judenmauer ist noch in Benutzung, wird aber bald, wie der christliche an der Peterskirche, wegen Überfüllung geschlossen werden. Ich hatte Mühe, in der hohen, von blühendem Holunder überragten Mauer den Eingang zu finden. Schließlich ist es mir geglückt. Da stand ich nun auf der weiten, fast baumlosen Stätte, wo zwischen dichtem Gestrüpp aus dem hochwuchernden Gras und blumigen Hügeln senkrechte Tafeln von rotem Sandstein massenhaft hervorragten, die meisten eingesunken, fast verwittert, mit Moos bedeckt, alle mit Inschriften in hebräischer Quadratschrift und viele mit schön gearbeiteten Symbolen wie Löwe, Adler, Hahn, Himmelsleiter und Himmelstüre versehen, einzelne bis ins 13. Jahrhundert zurückreichend. Ein Bild völliger Abgeschiedenheit inmitten der geschäftigen Stadt.
Ist man in Frankfurt auch gehalten, seinen Fleischbedarf an den Schirnen zu decken, denn kein Metzger darf das Viertel verlassen, so wissen die Frankfurter doch ihren Vorteil zu wahren, wenn die „Bürgerschlacht" freigegeben ist. Zwischen Galli und Martini, also zwischen dem 16. Oktober und 11. November, dürfen in den Haushaltungen der Bürger und Beisassen Ochsen und von Martini bis Fastnacht Schweine für den Hausbedarf geschlachtet werden. Dann fließt zu allem Abgang aus den Häusern auch das Blut der Schlachttiere ins Floß, eine breite Straßenrinne, und von da in die große Antauche, eine in ost-westlicher Richtung die Altstadt durchziehende Kloake, die dann und wann ihren nicht immer geruchlosen Schlund aufsperrt. Bei Regenwetter wird zwar das Wasser zu häuslichen Zwecken in Bütten und Zubern aufgefangen, meist aber schleudern die Traufen es bis in die Straßenmitte. Die Zuber bleiben dann auch bei trockenem Wetter stehen und versperren die ohnehin schmalen und holprigen Gassen der innersten Stadt, in die aber auch selten ein Wagen kommt.
Anders in der neuen Stadt. Hier bilden die Straßen mit lauter viereckig zugehauenen Steinen ein Pflaster, worauf man fährt wie in einer gedielten Stube, und man muß dem zuständigen Amt das rühmliche Zeugnis stellen, daß keine Mühe und Kosten gescheut werden, die Straßen in gutem Zustand zu halten. Sommers und winters sind bei nur einigermaßen geeigneter Witterung immer eine beträchtliche Anzahl Arbeiter bestellt, die schnell und kunstgerecht ganze Straßen und Plätze neu bedecken. Was ich anderswo kaum in einem halben Jahr fertigwerden sah, ist in Frankfurt das Werk von einigen Wochen, und überdies von besserer Qualität.
Im ganzen aber habe ich den alten, echt reichsstädtischen Kern von Frankfurt freundlicher gefunden, als es von oben den Anschein hatte. Die Zahl interessanter alter Häuser, wie das Steinerne Haus oder das Haus Fürsteneck, ist nicht gering, allein manche stehen nicht an geeignetem

Liebfrauenberg

Ort, so daß der Effekt, den sie an anderer Stelle hervorbringen würden, fast gänzlich verlorengeht. Die neue Zeit ist auch hier nicht spurlos vorübergegangen. Die Häuser werden angestrichen, die Türen höher, die Fenster und Läden zierlicher gemacht. Alte und neue Formen, die auf die einengenden und der Feuersgefahr Vorschub leistenden Überhänge verzichten, harmonieren durchaus miteinander. Bricht einmal ein Feuer aus, so verbreitet sich Angst und Schrecken. Aber die Nachbarschaftshilfe ist schnell zur Hand. Die Trommeln der Quartiertamboure rasseln durch die Straßen, alles eilt zu Hilfe, und trotz der scheinbaren Unordnung wird tüchtig und schnell gelöscht, und nur äußerst selten kann sich ein Brand über mehr als ein Haus ausdehnen.

In manchen Bereichen fand ich die Altstadt sogar anheimelnd, etwa dort, wo die Handwerker die Straße zur Werkstatt machen, wo sich das Klopfen der Schuhmacher und Spengler, das Hobeln und Sägen der Schreiner, die klingenden Hammerschläge der Schlosser und der rhythmische Benderschlag mit dem Geschrei der spielenden Kinder mischt oder wenn, wie jetzt im Sommer, die Blumenfenster offenstehen, vielstimmiges Gezwitscher aus den vor den Fenstern aufgehängten Vogelbauern die Gassen erfüllt und man nach getaner Arbeit vor der Haustür zusammensitzt. Leider sind die Brunnengemeinschaften, die für die Sauberkeit des Trinkwassers sorgten und die Brunnenreinigung mit einem jährlichen Fest, der Brunnenfahrt, fröhlich begingen, wie so vieles aus früherer Zeit in Auflösung begriffen.

Man schätzt heute mehr als die alten Ziehbrunnen die springenden Brunnen, von denen der neueste und schönste auf dem Liebfrauenberg steht, und die Röhrenbrunnen, die das Wasser in eisernen Kanälen aus der nordwestlichen Gemarkung erhalten. Bald wird jeder, der es mag und

sich leisten kann, für jährlich 15 Gulden seinen eigenen Wasserkranen im Haus haben.
So komme ich auf das zurück, was ich zu Anfang des Briefes schrieb: Das Alte, oft Liebenswerte, aber eben Unzeitgemäße, kommt unversehens ins Hintertreffen vor den Forderungen der neuen Zeit. Auch die Altstadt wird dem Verkehr ihren Tribut zollen müssen. Ganze Viertel werden Neubauten weichen, und neue Straßen werden durch das alte Gelerch gebrochen werden. Schon fordert man eine Verbindung von Münzgasse und Hirschgraben zum Gallustor und vom Liebfrauenberg zur Zeil, und die in jeder Hinsicht zweckmäßige, aber fehlende Abfahrt von der Brücke zum Mainkai wird auch nicht mehr lange auf sich warten lassen.
Du fragst, lieber Freund, in Deinem letzten Brief, was aus den Frankfurter Sparkassenplänen geworden ist, da Du ähnliche Pläne befördern helfen willst. Tatsächlich hat die hiesige Polytechnische Gesellschaft, vom Senat ermächtigt, Nägel mit Köpfen gemacht. Nachdem sie am 24. April endgültig die Errichtung eines entsprechenden Instituts beschlossen hatte, regelte sie die Verwaltung und das Direktorium. Die Mitglieder der Gesellschaft übernahmen auf Empfehlung von Dr. Wöhler selbst 206 Aktien zu 20 Gulden und schufen damit einen Garantiefonds von 4120 Gulden. Herr von Bethmann, der sofort zehn Anteile übernahm, hatte das Beispiel gegeben. Eine von ihm abgetretene Hypothek in Höhe von 6000 Gulden gab zudem Sicherheit für die ersten zu erwartenden Einlagen. Von andern Mitgliedern kamen die ersten Einrichtungsgegenstände, von Herrn Mylius die notwendigsten Geschäftsbücher; Herr Peters, ein Weinhändler, stellte ein Zimmer seines Hauses als ersten Geschäftsraum zur Verfügung. So konnte die Sparkasse am 12. Juni ihre Tätigkeit aufnehmen. Zehn Einlegbüchlein waren der Erfolg des ersten Tages und erbrachten Einzahlungen in Höhe von 416 Gulden. Die Anfänge sind zwar bescheiden, aber die Einlagen werden rasch wachsen, denn die auf ihren Zinsvorteil bedachten Frankfurter werden die Möglichkeiten, die das neue, menschenfreundliche, der Not weiter Kreise vorbeugende Institut bietet, bald erkennen.
Vielleicht ist Dir dies nützlich zu wissen und Antrieb zu eigener Initiative. – Hast Du gelesen? Die Griechen haben die Akropolis von Athen besetzt. Wie lange werden sie sich gegen die Türken behaupten können, wenn sie keine Hilfe von außen bekommen?
In unwandelbarer Treue bin ich

Dein * * *

Frankfurt am Main, den 21. August 1822

Lieber Freund, einen größeren Gegensatz zu der verwinkelten Altstadt als das Quartier, das jetzt oberhalb der Brücke neu entsteht, kannst Du Dir nicht denken. Dort, wo noch vor dreißig Jahren das stets von Überschwemmung bedrohte Glacis bis zur altstädtischen Mauer zurück-

Anton Radl: Gallus-Promenade (Ausschnitt).

Friedrich Wilhelm Delkeskamp: Römerberg mit Nikolaikirche. 1822.

Anton Heinzlmann: Hauptwache mit Katharinenkirche.

sprang, ist alles Gelände aufgeschüttet, rechtwinklig parzelliert und schon größtenteils mit Häusern, die zu behaglicher Wohnung einladen, bebaut. Am schönsten ist die Reihe der neuen Häuser am Main, mit Recht die Schöne Aussicht genannt, denn von der zwölf Fuß hohen Uferstraße hat man das reizendste Panorama.

Man muß auf der Brücke gestanden haben, die hier auf die Fahrgasse mündet, um den Gegensatz so recht zu erkennen: linker Hand flußab, alt und grau, die Häuser der alten Stadt, fast aus dem Wasser wachsend, dem Handel und Wandel bestimmenden Strom vertraut, aber auch ausgeliefert der Naturgewalt bei Eisgang und Hochflut. Rechts flußauf in majestätischer hochwasserfreier Lage, weiß, pistaziengrün und rosa, die in gleichem Ebenmaß gehaltenen Neubauten. Dieser neue Hochkai braucht den Vergleich mit den Ufern der Seine in Paris und der Rhône in Lyon nicht zu scheuen, zumal er in der neuen Stadtbibliothek einen äußerst eindrucksvollen, vornehmen Abschluß findet. An dem auf 200 000 Gulden veranschlagten Bau neben dem Obermaintor wird noch gearbeitet, doch ist er bereits unter Dach.

Ich habe in den letzten Tagen wiederholt auf der Brücke gestanden und dem Leben und Treiben auf dem Fluß zugeschaut. Die Brücke selbst, 380 Schritt lang und 11 Schritt breit, ist mit ihren 14 Bogen ein der Stadt würdiges Monument mit einer langen Geschichte. Sie verbindet nicht nur Frankfurt mit seiner Vorstadt Sachsenhausen, sondern im weitern den Norden mit dem Süden Deutschlands und war dementsprechend oft heiß umkämpft, zuletzt am 31. Oktober 1813, als die Bayern den Franzosen auf den Fersen waren. Dabei ist die östliche der beiden Brückenmühlen in Flammen aufgegangen. Man hat sie wiederhergestellt, anstatt die unschönen, die Sicht störenden Gebäude abzutragen. Auch die mit ihren engen Durchfahrten hinderlichen Brückentürme hat man längst beseitigt.

Jetzt im Sommer fließt der Main gemächlich, an manchen Stellen nur zwei Fuß tief, unter der Brücke durch und gibt Gelegenheit zu gefahrlosem Badevergnügen, das aber in Brückennähe durchaus verboten ist. Aber oberhalb der Stadt, am Holzmagazin, tummeln sich hundert Nackedeis im Wasser. – Welch anderes Bild, wenn nach langen Regengüssen oder im Frühjahr, wenn das Eis bricht, sich braune Wasserfluten gurgelnd um die Eispfeiler drängen, wenn sich ganze Berge von Eisschollen in die tiefer gelegenen Altstadtgassen schieben und oft zu nächtlicher Stunde die Sturmglocke vom Pfarrturm höchste Gefahr anzeigt!

Von all dem jetzt keine Spur. Auf dem Wasser nur lustiges Gewimmel von Fischernachen, Bamberger Schelchen, Holz- und Fruchtschiffen, großen Rangschiffen vom Ober- und Niederrhein, die an den beiden Kranen vor dem Fahrtor und dem Leonhardstor entladen werden. Bis zur Brücke dringt das Rufen und Schreien der Menschen, die dort emsig beschäftigt sind, und an Werktagen ist kaum ein Durchkommen durch die Ballen und Fässer, Kisten und Kasten und die Menge der Kranen- und Schiffsknechte, Färcher, Schiffer, Spediteurs, Kaufleute, Makler, Polizeidiener, Soldaten, Einzler, Schiebkärcher, Reff- und Lastträger, Ein- und Auslader, Auslaufer,

Hausknechte, Reisenden und Schaulustigen. Das Schauspiel des geschäftigen Lebens am Main scheint ein buntes Chaos, und doch vollzieht sich alles in einer gewissen merkantilen Ordnung, die letztlich die Grundlage einer so reichen Handelsstadt ist.
Und abermals ändert sich das Bild, wenn Du in sternheller Sommernacht über die Brücke kommst. Dann beleuchten die am Ufer aufgehängten Bogenlaternen wie Feuerkugeln die Szene und verdoppeln das krause Gewirr der am Kai vertäuten Schiffe. Und wenn dann zu besonderer Gelegenheit die von vermögenden Uferbewohnern bestellte Musik den Fluß auf und nieder fährt, gefolgt von einer Menge kleiner Nachen und Barken, mit bunten Lampen fröhlich geziert, dann bietet der Standpunkt auf der Brücke den imposantesten Anblick.
Sachsenhausen ist noch das enge, winklige Nest, das man als stets gefährdeten Brückenkopf immer etwas stiefmütterlich behandelt hat, bis heute, denn hier hat man es nicht für nötig gefunden, die alten Wälle in Promenaden umzuwandeln. Lediglich vor dem Affentor ist ein gefälliger, als Rondell gestalteter Platz entstanden.
Die meisten Häuser in den räuchrigen Gassen sind klein und schief, von Fischern und Gärtnern bewohnt, und nur das aus dem vorigen Jahrhundert stammende, heute in österreichischem Besitz befindliche Deutschordenshaus erhebt einigen Anspruch, als Sehenswürdigkeit zu gelten. Aber die früher mit gut gemalten Tapeten, wertvollen Spiegeln und ansehnlichen Gemälden ausgestatteten Säle haben in der Franzosenzeit, als sie zum Militärhospital dienten, sehr gelitten.
Oberhalb Sachsenhausen, wo die Straße nach Offenbach von der Darmstädter Landstraße abzweigt, bietet sich die herrlichste Aussicht von den Terrassen des Mühlbergs, namentlich auf die in ihren Rändern sich modernisierende Stadt, aber auch auf die Wein-, Obst- und Gemüsefluren, die sich im Vordergrund ausdehnen und jenseits des Mains den Röderberg hinanziehen. Ein beliebter Spaziergang geht von hier über die Höhe nach dem eine halbe Stunde entfernten Dorf Oberrad, das zu Frankfurt gehört und 1400 Einwohner zählt, die vornehmlich in der Gärtnerei ihr Brot verdienen. Von der Artischocke bis zur Petersilie ist das hiesige Gemüse sehr fein und schmackhaft und wird selbst nach den benachbarten Städten und Badeorten ausgeführt. In Oberrad versteht es der Wirt des Frankfurter Hofes durch immer neue Schilder, die er aushängt, die Frankfurter und Offenbacher in Scharen anzulocken. Bald sind es künstliche Lustfeuerwerke, bald die Zaubertöne einer Harmoniemusik, bald die halsbrecherischen Sprünge eines Seiltänzers, bald ein hungriger Bauchredner, die als Attraktionen angepriesen werden. Ich genoß die Aussicht vom Mühlberg und setzte meine Wanderung durch die wohlbestellten Gärten des Sachsenhäuser Berges fort, bis ich vor der altersgrauen Warte stand, die die Frankfurter Feldgemarkung nach Süden begrenzt. Vier dieser im Umkreis von einer guten halben Stunde vor der Stadt im fehdereichen Mittelalter entstandenen Türme blieben erhalten, doch die dickichtbestandenen Doppelgräben hat man jetzt alle ausgehauen, fast gänzlich eingeebnet und gleich den niedergerissenen Stadtwällen urbar

Brücke mit Sachsenhausen

gemacht. Die Warten dienen jetzt nur noch als Torschreiberposten zur Erhebung des Chausseegeldes.
Während auch hier an Sonn- und Feiertagen die Frankfurter Bürgerschaft mit Roß und Wagen und zu Fuß unterwegs ist, um sich im kühlen Stadtwald zu erfrischen, waren jetzt an einem Werktag nur die Sachsenhäuser in ihren Gärten damit beschäftigt, den Salat zu schneiden, die Kartoffeln und Rüben zu hacken und Zwetschen zu ernten. Sie mochten mich in ihrer bekannten derben Art einen Müßiggänger schelten, aber hier und da erhielt ich doch bereitwillig Antwort auf meine Fragen. Überhaupt sind die Sachsenhäuser manierlicher geworden. Zwar kümmert es sie wenig, daß historische Schriftsteller ihre Abstammung bis auf jene derben Nordsachsen zurückverfolgen, die der sagenhafte Gründer von Frankfurt Karl der Große an der Mainfurt angesiedelt haben soll. Sie sind Gärtner und Fischer, Schiffs-, Fuhr- und Schauerleute, Taglöhner, Handlanger und Hausknechte bei den reicheren Frankfurter Familien. Die Weiber sind meist Gemüse-, Obst- und Fischhändlerinnen, und was bei ihren Männern die Faust, ist bei ihnen die Zunge. In einer etwas rauhen Schale verbirgt sich ein gesunder Kern: Sie sind fleißig, gastfreundlich, originell, voll derbem Mutterwitz, dabei in ihrem Grundcharakter durchaus gutmütig. Vor lauter Fleiß und Arbeit vergessen sie ihre Armut, die ihnen zum Leben nicht viel mehr als Apfelwein und Handkäs gönnt. Dabei sind sie immer manierlich gekleidet, und ihre tätige Moral beschämt viele Reiche jenseits der Brücke. Ihre Mundart, in der Fluchen und Schimpfen und allerlei Kraftausdrücke ganz normal sind, ist leider im Aussterben, was den Bemühungen der Schullehrer zugeschrieben werden muß; aber noch immer überschütten sie Dich, leichtfertig gereizt, mit ihren Verwünschungen, von denen „Hul deich daar Deivel!" und „Kriegs böß Kreuz!" und „Häste die Maabrick iwwerzwerch im Hals!" noch die harmloseren sind. Aber auch jeder Sachsenhäuser hat einen Spottnamen, den er im Knabenalter erhält und mit in den Sarg nimmt.

Sie fühlen sich nicht nur als Frankfurter Bürger, sondern sind es auch, während sie mit Stolz und durchaus zutreffend behaupten, ein Frankfurter sei noch lange kein Sachsenhäuser.
Der Bürgerstolz ist überhaupt ein hervorstechendes Merkmal des Frankfurters, vor allem des gemeinen Mannes, und wenn er auftrumpft „Eich sein ä Borger!", dann ist ihm sein kleiner Freistaat so viel wert wie ein Königreich. Dieses Selbstbewußtsein wird aber auch durch hundert Privilegien und Vorteile gestützt, die der Frankfurter Bürger jedem Fremden und bloßem Schutzverwandten voraushat, und man kann leicht den Neid herausspüren, wenn Nichtfrankfurter sagen: „Die Frankfurter haben Flügel, die man nur nicht sieht, weil sie den Rock drüber tragen." Dabei geht es bei der Kleinheit des Staates und der Beschränktheit des städtischen Horizonts, der nicht wie bei den Hansestädten die Weite des Meeres umgreift, immer etwas spießbürgerlich zu, was man den Frankfurtern freilich nicht sagen darf, deren Gesichtskreis oft nicht über die Landwehren hinausreicht. In einer Stadt, wo man so eng aufeinandersitzt und jedermann sich um das bekümmert, was der andre zu Mittag speist, kann es geschehen, daß man am Allerheiligentor Prosit sagt, wenn einer am Bockenheimer Tor nießt. Findet sich Klatschsucht und Kleinstädterei vorwiegend beim Mittelstand, so krankt das geldreiche Großbürgertum an der Überbewertung des geschäftlichen Erfolges. Von der zartesten Jugend an wird dem Knaben als höchstes Glück und einzigstes Ziel der reiche Kaufmann gezeigt, von nichts anderem hört er sprechen als von Spekulationen, Gewinn und Verlust, Prozenten, Coursen, Wechseln, und was alles dahin gehört. Die Hauslehrer haben es schwer, schöngeistiges Wissen zu vermitteln. Wenig Wert legt man auf körperliche Ertüchtigung. Haben die Knaben sich seit dem fünfzehnten Lebensjahr in den finsteren Comptoiren krumm und lahm gesessen und ihr bißchen Gesundheit schon vor der Ehe vertan, so sind die Frauen vielfach nur noch Krankenwärterinnen und fühlen sich dem Mann geopfert, da die meisten Ehen in den großen Häusern doch nur Handelsspekulationen sind. Aber man ist steinreich geworden, hat schöne Häuser, prächtige Gärten, glänzende Equipagen. Doch ist man alt, kann man nichts mehr davon genießen und muß das ganze Jahr Pillen, Latwergen und andere Delikatessen der Art schlucken, bis der allgewaltige Tod dem Leben ein Ende macht.
So ist es verständlich, daß die Mädchen, die in der Regel eine sorgfältigere Erziehung genießen, den Ehestand dem Herkommen gemäß als ein merkantilisches Geschäft betrachten und vollziehen. Die Langeweile, unter der sie leiden, wenn ihre Männer oft monatelang auf Geschäftsreisen im Ausland sind, stumpft sie ab und läßt ihnen höchstens noch Sinn für ihre Spielpartien, Kränzchen und musikalischen Soireen, in denen das Mittelmaß triumphiert. Wohlgemerkt gibt es auch hier wie überall Ausnahmen. Das sind die Frauen, die ihren Männern treuliche Gefährtinnen in geschäftlichen Dingen sind oder die genug Selbständigkeit entwickeln, auf eigne Faust nach Paris, London, Wien oder Berlin zu fahren. Sie bringen dann französischen Chic in die etwas steife Frankfurter

Rechneigraben

Toilette und Gesprächsstoff für die, welche den Mut nicht haben, es ihnen gleichzutun. Ebenso gibt es neben den vielen kränklichen, schwächlichen und unansehnlichen Physiognomien unter den Männern solche, die ihre Vaterstadt würdig vertreten. Ich habe Dir schon Herrn von Bethmann geschildert und könnte Dir aus dem Großbürgertum weitere Namen nennen. Die alten patrizischen Familien, die durch Landbesitz, Heirat und Fürstendienst vielfach mit dem umwohnenden Land- und Hofadel verschmolzen sind, haben allerdings in der Stadt ihren Einfluß verloren. Dagegen sind die Juden beharrlich im Vordringen, und vielfach beginnen sie im Leben der Stadt den Ton anzugeben, denn sie stellen ein Achtel der Bevölkerung. In keiner europäischen Stadt leben sie dichter als in Frankfurt, wo das Getto aufgehoben und die sogenannte Stättigkeit, ihr reichsstädtisches Heimatrecht, in ein passives Bürgerrecht umgewandelt worden ist. Zwar bestehen noch oder wieder Einschränkungen bei Eheschließungen, Immobilienkäufen und beim Handel mit Brennholz, Frucht und Fourage, aber diese verlieren doch täglich an Kraft und Wirkung. Die Aufgeklärteren unter ihnen sind reich an Kenntnissen, Bildung und materiellem Besitz, und wenn sie auch nicht den Wohlstand und das soziale Ansehen der Rothschilds erreichen, die, wie man hört, in nächster Zeit den österreichischen Freiherrnstand erringen werden, so sind sie doch in der Lage, in den schönsten Stadtteilen sich prächtige Häuser zu bauen. Durch eigene Schulen und Humanitätsanstalten pflegen sie ein von der Nächstenliebe geprägtes Zusammengehörigkeitsgefühl,

das den leider unter der christlichen Bürgerschaft noch immer so verbreiteten Kastengeist nicht kennt.
Für heute genug. Den Abend ist Feuerwerk beim alten Kleeblatt. Diesmal bin ich dabei.

Dein * * *

Frankfurt am Main, den 17. September 1822

Lieber Freund, ich habe Dir von der geschäftigen Stadt, ihren lieblichen Promenaden und freundlichen Gärten, zuletzt von Sachsenhausen berichtet. Heute will ich Dir von den Orten schreiben, die gerade jetzt, da die Herbstmesse begonnen hat, das Ziel vieler Fremden sind. Ich meine die Dörfer Bornheim und Hausen, die zu Frankfurt gehören, das hessen-darmstädtische Rödelheim und das kurhessische Bockenheim, das vor drei Jahren Stadtrechte erhalten hat.
Der Weg nach Bornheim beginnt am Friedberger Tor, wo das monumentale, von dem preußischen König Friedrich Wilhelm II. 1793 gestiftete Hessendenkmal an den verlust-, aber siegreichen Sturm hessischer und preußischer Truppen auf Frankfurt erinnert, das damals, am 2. Dezember 1792, von den Franzosen besetzt war. Auf einem schön gruppierten Felsen von Granitblöcken erhebt sich ein mächtiger Steinwürfel mit den Namen der Gefallenen. Über dem Würfel liegt, aus dem Erz französischer Kanonen gegossen, eine Löwenhaut, worauf ein kolossaler Helm, Schild, Schwert und Mauerbrecher ruhen. Das Ganze ist eine würdige Apotheose. Das reiche Frankfurt ist vor andern Städten recht arm an öffentlichen Monumenten. Um so mehr fesselt den Vorübergehenden dieses herrliche Denkmal.
Rechter Hand, zwischen der Promenade und der sich langsam mit Neubauten füllenden Seilerstraße, dehnt sich der Bethmannsche Park. In dessen Mitte erhebt sich auf einer kleinen Anhöhe über dem mit Schwänen belebten Weiher das Bethmannsche Museum, an dem kein Fremder vorübergeht, ohne von der bereitwillig gebotenen Möglichkeit, die dortigen Kunstschätze zu besichtigen, Gebrauch gemacht zu haben. Das stets aufliegende Besucherbuch enthält Namen aus aller Welt, selbst aus Südamerika und dem fernen China. Gegenstand der Bewunderung sind weniger die vortrefflichen Abgüsse antiker Statuen und Büsten, die teils in der Eingangshalle, teils in seitlichen Kabinetten mit feinem Kunstsinn einander zugeordnet sind, als vielmehr die weltberühmte Ariadne Danneckers. Für sie kommt mancher Besucher eigens nach Frankfurt. Die auf einem Panther ruhende kretische Königstochter, Retterin des Theseus und Gattin des Dionysos, erwarb Herr von Bethmann im Jahre 1810 für 11 000 Gulden in Konkurrenz zum König von Württemberg. 1814 war das Werk vollendet, aber erst 1816, nach Fertigstellung des Museums, konnte es nach Frankfurt geschafft werden.
Das herrliche, aus carrarischem Marmor gearbeitete Kunstwerk steht ganz

Hessendenkmal

allein in einem von oben beleuchteten Kabinett auf drehbarem Piedestal. Rotseidene Gardinen werfen einen fleischfarbenen Schein auf die anmutige, fast ätherisch hingegossene Gestalt, die weinlaubbekränzt, sehnsüchtig den Blick in die Ferne gerichtet, auf der Insel Naxos ihren göttlichen Befreier erwartet. Lange stand ich in den Anblick des verführerisch schönen Frauenkörpers versunken, den der Künstler in elfjähriger Arbeit zu sinnlichem Leben erweckt hat, und mich störte weder, was Wilhelm von Humboldt gesagt („Gott weiß, daß ich die Magerkeit nicht liebe und die Nacktheit nicht hasse, aber die Ariadne ist zu dick und zu nackt") noch was böse Zungen behaupten („Man braucht nur eine Statue zu kaufen und dem Publikum zu zeigen, um berühmt zu werden").

Doch ich wollte ja nach Bornheim. Der empfohlene Weg über den Röderberg war wegen der bevorstehenden Weinlese gesperrt. So nahm ich gestern den direkten, pappelbestandenen Fußweg über die Bornheimer Heide und fand an einem Hauptbesuchstag, nämlich montags, die Bornheimer Wecken und Kuchen ganz ihres Rufes wert. Am Sabbat pflegen besonders viele Juden hierher zu kommen, und der Garten des Goldenen Löwen verwandelt sich dann in ein Canaan. Sonntags, wenn die Frankfurter scharenweise wie die Zugvögel einfallen, muß das Gedränge auf den Tanzdielen und in den Wirtsgärten gewaltig sein. Bei den gewöhnlichen Volksfesten gar wird der Besuch allein an den verzehrten Gänsen und Enten, Hühnern und Tauben gemessen, die Braten, Pasteten und Süßigkeiten ungerechnet. Dabei spielt die Witterung kaum eine Rolle. Ob bei hellem oder düsterem, kaltem oder warmem, trockenem oder kotigem Wetter, nach Bornheim findet jeder jederzeit

Danneckers Ariadne

den Weg. Am Mittwoch nach Pfingsten, am Kirchweihfest, zur Zeit der Weinlese, namentlich am dritten Tag (Dieser Tag wird der Lerchenherbst genannt, weil man an demselben vorzüglich Lerchen zu essen pflegt), ist die Menge der Gäste so groß, daß es fast an Raum gebricht, sie alle aufzunehmen und zu bewirten. Auch für gewisse galante Vergnügungen ist Bornheim, das „lustige Dorf", bekannt.
Ginnheim, das nördlich Frankfurt an der Nidda liegt, wird an warmen Sommertagen viel besucht, doch ist der Weg über die Ginnheimer Höhe, von der man die herrlichste Aussicht auf den Taunus genießt, schattenlos und staubig. Der Ort selbst ist im Gegensatz zu dem wohlgebauten Bornheim klein und unansehnlich.
Häufiger pilgern die Frankfurter über die teils mit Kastanien, teils mit Linden und Akazien bepflanzte Chaussee nach dem eine Stunde entfernten kaffeeberühmten Bockenheim, das jetzt durch eine lange Reihe prachtvoller Gartenhäuser mit Frankfurt zusammenwächst. Man findet hier Billard und Kegelspiel, und selbst die Anhänger des verbotenen Hazardspiels kommen hier auf ihre Kosten. Die roten und schwarzen Tische stehen im Richterschen Garten, wo zur Winterszeit auch Maskenbälle veranstaltet werden.
Der nach Bornheim beliebteste Vergnügungsort aber ist seit etlichen Jahren ohnstreitig Hausen, ein am linken Ufer der Nidda gelegenes Dorf von nur 460 Einwohnern, das man von Bockenheim auf viertelstündigem

Bethmannsches Museum

Wiesenweg erreicht. Besonders freitags gehört eine Partie nach Hausen zum guten Ton, so daß sich auf dem ganzen Weg die Equipagen und Fiaker drängen. Dann versammeln sich um fünf Uhr zahlreiche Frankfurter der gebildeteren Schicht, Schauspieler, Literaten, Gesandtschaftspersonal des Bundestags, Offiziere der Militärkommission und andere joviale Leute, in dem am Ortsende gelegenen Braumannschen Garten. Der Hauptreiz dieses Treffpunktes, den man das „Hauser Casino“ nennt, scheint gerade in dem Kontrast zwischen der ländlichen Idylle des gemeinen Grasgartens und dem eleganten Zirkel zu liegen, der sich dort ungenierter als anderswo zusammenfindet, was der Wirt übrigens geschäftig zu nutzen weiß.
Als ich dort war, hielt ich mich an einen reinen, gut gegorenen, recht angenehm säuerlichen Apfelwein, und auch die Damen schienen dem Mainchampagner mit Vergnügen zuzusprechen, doch sparten sie dabei den Zucker nicht. Auf Verlangen ist allerdings auch guter Wein, Tee, Kaffee, Schokolade, kurz alles zu haben, was man in einem guten Wirtshaus nur fordern kann. Neben dem Bauernhaus findet sich auch ein niedlicher Ballsaal, aber Leute von Distinktion bleiben nicht bis zum Abend, sondern kehren frühzeitiger in die Stadt zurück. Andere aber wissen den Rückweg durch die Wiesengründe im Mondschein besonders zu schätzen. Übrigens gibt Hausen auch einen angenehmen Sommeraufenthalt ab, vorausgesetzt, daß man mit dem ländlichen Milieu vorliebnimmt und sich durch die vielen Stechmücken nicht vertreiben läßt.
Niddaabwärts liegt Rödelheim, wohin links von der Bockenheimer Warte ab ein durch Ackerland ziehender Fußweg führt. Dieser schöne große

Flecken gehörte vormals dem unmittelbaren Reichsgrafen von Solms-Rödelheim, dessen Schloß noch von der gräflichen Familie bewohnt wird. Der jedermann offenstehende, schattenreiche Schloßgarten ist im englischen Geschmack angelegt, und auch die Landhäuser der hier domizilierenden Frankfurter zeichnen sich durch schöne Gärten und reizende Anlagen aus. Besonders die Brentanosche Besitzung wird von vielen Fremden und selbst fürstlichen Personen, die nach Frankfurt kommen, aufgesucht, nachdem man weiß, wie sehr Goethe das dortige Milieu schätzte. In dem an der Nidda gelegenen Garten finden sich Labyrinthe, Hängebrücken und Schweizerhäuser, und in einem der letzteren eine ganze Galerie hübscher Schweizer Mädchen, die Herr Brentano, ein Bruder der Bettina, auf seinen Reisen kennengelernt und hatte malen lassen. Auch ein anderer Frankfurter Kaufmann, Herr Goullet, lebt hier in einem herrlichen Sommersitz und trägt durch seine liberale Gastfreundschaft ebenso wie Herr Brentano außerordentlich viel zum geselligen Leben in Rödelheim bei. Auf dem Balkon seines über der Nidda mit Fernsicht auf Frankfurt und den Taunus erbauten Hauses habe ich einen idyllisch schönen Sommerabend zugebracht, in heiterer, durch die Anwesenheit der Damen gewürzter Gesellschaft, bei geistreichem Geplauder und einem kühlenden Vanille-Eis, während nicht weit von uns die Bauernjungen die Pferde in die Schwemme ritten und die Mädchen des Ortes sich in einem Fischerkahn schaukelten. Du siehst, lieber Freund, das Frankfurter Leben hat mich mächtig in seinen Bann gezogen, und wäre mein ganzes Unternehmen nicht die Erfüllung einer bloßen Wette, Du sähest mich auch nach Ablauf eines Jahres nicht wieder.
In herzlicher Freundesliebe und mit dem Wunsch, meine Eindrücke mögen so warm, wie sie empfunden, sich im Herzen des Freundes widerspiegeln, bleibe ich

Dein * * *

Frankfurt am Main, den 19. Oktober 1822

Lieber Freund, gestern feierte man hier das Fest des 18. Oktobers, weniger die Erinnerung an die Leipziger Schlacht, als vielmehr den Jahrestag der Konstitution der Freien Stadt, die am 18. Oktober 1816 vor dem Römer beschworen wurde. Das Ereignis wurde mit einem festlichen Gottesdienst und dem Aufmarsch der gesamten bewaffneten Macht aufs beste begangen.
An sich spielt das Militär in Frankfurt eine sehr untergeordnete Rolle, verständlich bei dem vorherrschenden Handelsgeist. Die gewöhnliche Truppe, die im ehemaligen Karmeliterkloster kaserniert ist, das sogenannte Linienmilitär, ist meist nur 350 Mann stark, muß aber als matrikuliertes Landeskontingent in Kriegszeiten in Stärke von einem Prozent der Frankfurter Bevölkerungszahl zum VIII. Armeekorps stoßen. Dieses Infanteriebataillon besteht aus sechs Kompanien geworbener

Bockenheimer Anlage und Landhaus Leonhardi

Leute, meist Nichtfrankfurter, und wird von dem Obristen und Stadtkommandanten Schiller befehligt. Ausbildungsstand, Uniform und Bewaffnung sind gut und zweckmäßig, wovon man sich bei den gewöhnlichen Wachparaden und bei den periodischen Feldübungen überzeugen kann. Aber da das Linienbataillon in der Regel nur den üblichen Wachdienst versieht, wird es in der Öffentlichkeit nicht viel besser als eine Abteilung Polizei geachtet, was besonders die Offiziere zu fühlen scheinen, zumal es kaum Gelegenheit zum Avancieren gibt. In Gesellschaften sieht man sie im Gegensatz zu den Mitgliedern der Bundesmilitärkommission nur selten, ja fast nie in Uniform.
Anders verhält es sich mit der Bürgerwehr, einer Notwehr, in der jeder Bürger und Beisasse vom 19. bis 60. Jahr zu dienen verpflichtet ist. Hier entwickelt der Frankfurter einen Gemeineifer, der dem Patriotismus, wie man ihn in größeren Staaten findet, in nichts nachsteht, diesen sogar noch übertrifft, da der zu schützende Gegenstand die Heimstatt und nicht bloß ein abstraktes Vaterland ist. Die Wehrmänner der Stadt (Stadtwehr) und die der Ortschaften (Landwehr) stehen unter dem Befehl ihres Obristen

Herrn von Ellrodt, dieser unmittelbar unter dem Älteren Bürgermeister. Die Stadtwehr (3 Regimenter) besteht aus freiwilligen und nichtfreiwilligen Corps der verschiedenen Altersklassen mit einer Schwadron leichter Reiter, einer Kompanie Artillerie, mit Scharfschützen, Jägern (deren Stamm 1814 und 1815 die Feldzüge in Frankreich mitgemacht hat) und einem Löschbataillon. Zwei Bataillone nichtuniformierter Landwehr (4. Regiment) rekrutierten sich aus den Frankfurter Ortschaften.
Schon der Vortag stand im Zeichen des Festes. Nachmittags fiel der Schulunterricht aus, denn wie hätten die Kinder stillesitzen können, als die Bürgerartillerie ihre Kanonen auf der Mainschanze unterhalb Sachsenhausen dem Fahrtor gerade gegenüber auffuhr. Von 5 bis 6 Uhr läuteten alle Glocken, und dann donnerten in kurzen Abständen nochmals eine Stunde lang 101 Kanonenschüsse zur Stadt hinüber. Vor dem Fahrtor, von der Mainbrücke bis zur St. Leonhardskirche, wogte ohne Unterschied des Standes eine unübersehbare Menschenmenge, die sich die Feste-eröffnung nicht entgehen lassen wollte.
Am gestrigen 18. Oktober nun, dem eigentlichen Festtag, waren alle Frankfurter früh auf den Beinen. Auch aus den Nachbarorten, namentlich aus Offenbach, waren viele Schaulustige gekommen. Choräle erklangen von den Türmen, ab 7 Uhr läuteten wieder alle Glocken eine Stunde lang, und abermals donnerten die Kanonen. Den ganzen Vormittag rasselten die Trommeln durch die Straßen der Stadt. Nach dem Gottesdienst nahm das Militär am Roßmarkt Aufstellung zur Inspektion durch die beiden Bürgermeister, Herrn Schöff von Guaita und Herrn Senator Scharff, die in ihren Galawagen vorfuhren. Von hier begaben sich Bürgermeister und Senat in den Römer und nahmen auf einer Tribüne vor dem rot ausgeschlagenen Römerportal unter klingendem Spiel den Vorbeimarsch der Kontingente ab, wobei Fahnen und Degen die einjährig wohlregierenden Herrn Bürgermeister pflichtschuldigst salutierten. Den Zug eröffnete, aufs prächtigste ausstaffiert, die Kavallerie, dann folgte das erste Infanteriebataillon, das sich vornehmlich aus den reicheren Bürgern rekrutiert, kenntlich an seinem Tschako mit weißem Federbusch, dann die Jäger mit einem grünen, dann die Pompiers, wie die Löschmannschaft hier genannt wird, mit einem grün-roten, dann die Artillerie und endlich das Linienbataillon. Aufsehen erregten auch die martialischen Sappeurs mit ihren hohen Bärenmützen, den weißen Lederschürzen und den Beilen über der Schulter. Das helle Entzücken der Kinder aber war der stattliche Schellenbaumträger des Weißbuschbataillons.
Kaum ein Frankfurter, der nicht an diesem farbenprächtigen Schauspiel durch seine Gegenwart Anteil nahm. Dicht gedrängt säumten sie den Zugweg durch die Zeil, Fahrgasse, Töngesgasse und Neue Kräme, und an den Fenstern hingen sie wie Trauben. Grüße und Zurufe flogen hinunter, sobald man einen Verwandten oder Bekannten entdeckte, der mitmarschierte und militärisch gemessen zurückgrüßte. Noch bei keiner Gelegenheit, auch nicht beim Wäldchestag, wo man mehr Cliquen bildet, habe ich den Frankfurter so einig, so als Stadtfamilie gefunden wie gestern beim Fest des 18. Oktobers.

Affentor

Den Tag beschlossen am Nachmittag Gesangsvorträge der Frankfurter Schuljugend auf dem Römerberg und wieder zwischen 5 und 7 Uhr stundenlanges Läuten der Glocken und Donnern der Kanonen. Bis in die Nacht hinein aber wogte und strömte die enthusiasmierte Menge zu den allerwärts einladenden Vergnügungsstätten, und die ganz natürliche Lebenslust mischte sich mit dem Stolz, ein Frankfurter zu sein. Die allgemeine Fröhlichkeit ergriff auch mich, den sie einen „Hergeloffenen" nennen, und in vorgerückter Stunde habe ich mich selbst als Frankfurter gefühlt.
Auch in anderer Hinsicht bringt der Monat Oktober Abwechslung in das geschäftliche Einerlei der Comptoire. Denn sind die Kirchweihfeste vorüber, bleiben immer noch die drei Tage der Weinlese, die auch jene, die nichts zu ernten haben, in den rings um die Stadt verstreuten Gartenlauben und Pavillons mit Hingebung feiern. Schon nachmittags läßt man die Arbeit ruhen, zieht, mit Essen und Trinken reichlich versehen, hinaus, um sich bei Gelag und Tanz zu erfreuen. Ein Hauptvergnügen an diesen Tagen, die in diesem Jahr auf den 30. September bis 2. Oktober fielen, ist das Schießen mit Flinten und Pistolen und mit Anbruch der Nacht das Abbrennen von allerlei Feuerwerk, das Jung und Alt mit seinem Geprassel und seinen leuchtenden Himmelszeichen ergötzt.
Wenn auch der Weinbau rings um Frankfurt zurückgeht und mehr und mehr zugunsten des Obstbaus, namentlich eines zum Mosten geeigneten Apfels, aufgegeben wird, so finden sich am Mühlberg und am Röderberg doch noch ansehnliche, qualitativ dem Rheinwein durchaus vergleichbare Lagen. Auch die Menge ist respektabel: In einem guten Herbst rechnet man mit einem Ertrag von 200 Stück, das sind etwa 24 000 Liter.
Doch nun ist es vorbei mit dem Feiern. Der Alltag hat mich wieder, und die nächste Zeit wird mich mehr bei meinen literarischen Studien und im Theater und Konzert finden. Vor kurzem war ich im „Freischütz", der hier wie überall Furore macht und nach seiner Erstaufführung am 31. März gar nicht genug gegeben werden kann.

Das Gerücht hat sich bestätigt: Herr von Rothschild ist am 29. September in den österreichischen Freiherrnstand erhoben worden. Das wird den ewig Gestrigen nicht angenehm sein. – Was wird in Verona herauskommen, wo die europäischen Souveräne, teils persönlich, teils vertreten durch ihre Gesandten, die politischen Verhältnisse, besonders in Spanien und Griechenland, beraten? Morgen wird der Kongreß, von dem Metternich so viel erwartet, eröffnet.
Lebe wohl!

Dein aufrichtiger Freund * * *

Frankfurt am Main, den 1. November 1822

Lieber Freund, meine Briefe werden kürzer. Es drängt mich, Dir mehr von Frankfurt zu erzählen als zu schreiben. Weihnachten denke ich wieder in Köln zu sein, aber glaube nicht, daß mich, nun da sich die tristen Novembertage auf Frankfurt senken, die Langeweile gepackt hat. Im Gegenteil. Da ich im Laufe der Zeit viele Bekanntschaften geschlossen habe, werde ich nun in den interessanteren Familienzirkeln herumgereicht. In dem einen bespricht man Kunstblätter, in einem andern erfreut man sich mit Vorlesen erbaulicher und bildender Lektüre, anderswo ergötzt man sich am Arrangement lebender Bilder oder einfach beim Kartenspiel. Immer aber darf man einer musikalischen Darbietung gewärtig sein. Gerade komme ich aus dem Museum, wo das Septett von Beethoven zu hören war. Es stimmt ganz und gar nicht, was die Leipziger Musikzeitung den Frankfurtern in den Mund legt („Wir haben zwar Geld, viel Geld, und geben es auch aus, aber nicht für etwas, das zu einem Ohr hinein- und zum andern hinausfährt"). Denn es herrscht viel Musikliebhaberei in Frankfurt, und nicht nur das Theater ist an Operntagen besonders zahlreich besucht. Auch die häufig in den Sälen des Weidenbuschs oder des Roten Hauses auftretenden Virtuosen aus aller Welt können mit regem Interesse rechnen, selbst wenn der Eintritt einen Dukaten beträgt, was sich freilich nur eine Catalani erlauben darf. Der gewöhnliche Eintrittspreis ist ein halber Brabanter Taler.
Auch die hiesigen Musik- und Gesangsvereine veranstalten von Zeit zu Zeit Vokal- und Instrumentalkonzerte, die größtenteils stark besucht werden. Dabei gewinnt die 1818 von dem Frankfurter Opernsänger Herrn Schelble gegründete Singakademie, die sich seit vorigem Jahr „Cäcilienverein" nennt, ständig an Niveau und hat den älteren Düringschen Verein, der sich nun mehr auf konzertante Opern zurückzieht, schon überholt.
Die Stärke des Cäcilienvereins ist der Oratoriengesang. Die Mitglieder, durchweg Damen und Herren des gehobenen Bürgertums, singen mit Hingabe, am eifrigsten die Frauen. Die Soprane sind herrlich, an Tenören fehlt es ein bißchen. Doch wie sie alles auswendig wissen, wie sie jede falsche Note kontrollieren, wie sie wirklich musikalisch gebildet sind, das zu erleben ist der wirkliche Genuß der von Herrn Schelble ver-

Winterfreuden auf dem Main

anstalteten Konzerte. In diesen Tagen weilte die Familie Mendelssohn im Hause Schelbles hinter der Schlimmen Mauer, und wie mir ein Freund des Hauses versicherte, hat der vierzehnjährige Felix Herrn Schelbles Zuneigung gewonnen. Vielleicht ist dies der Beginn einer für Frankfurt in der Zukunft fruchtbaren musikalischen Freundschaft. Vater Abraham Mendelssohn hat sich übrigens in aller Stille von dem hiesigen französisch reformierten Pfarrer Jeanrenaud taufen lassen.
Denke daran, die Flöte zu richten und das Klavier stimmen zu lassen, damit wir wieder miteinander musizieren können, wenn ich erst bei Dir bin. Darauf freut sich

Dein * * *

Frankfurt am Main, den 19. Dezember 1822

Lieber Freund, ich habe Frankfurt verlassen und bin auf dem Weg zu Dir. Das Mainzer Marktschiff hat soeben, morgens 10 Uhr, am Fahrtor abgelegt, geleitet von einer eigentümlichen Posaunenmelodie, welche der Nikolaitürmer bei dieser Gelegenheit in alle vier Weltgegenden bläst. Ich sitze auf einem Ballen Tuch und schreibe an einer Kiste. In Mainz gebe ich den Brief auf die reitende Post, dann ist er eher in Köln als ich.
Die letzten Tage in Frankfurt erhielten ihren eigenen Reiz durch den Christmarkt auf dem Römerberg, der so ganz dahin wirkt, die Vorfreude auf das Weihnachtsfest zu erhöhen. Kommst Du aus den spärlich beleuchteten, geheimnisvollen Altstadtgassen auf den in den Lichtschein der hundert Buden getauchten Platz, so empfindest Du den weihnacht-

lichen Zauber doppelt. Da riecht es, besonders am Stand der Kräuterweiber vor dem Steinernen Haus, nach Anis, Zimt und Fenchel; dort liegen die grünen, harzduftenden Fichtenbäumchen zum Verkauf; dazwischen die Buden mit Lebkuchen und Pfeffernüssen, mit den charakteristischen getrockneten Zwetschenmännern, mit Nürnberger Spielzeug und vielerlei Geschenkartikeln für den Gabentisch. Du kannst Dir denken, daß ein solches Feenreich besonders die Kinder anzieht und ihre Wünsche weckt.

Nun also: Frankfurt Valet! Eine Fahrt auf dem Mainzer Marktschiff ist zwar im Sommer vergnüglicher, wenn man auf Deck sitzen kann, sich an der stets mitfahrenden Musik und der paradiesischen Mainlandschaft erfreut. Aber man kommt flußab immer schneller zum Ziel als mit dem gewöhnlichen Reisewagen. Die Kajüte, in der eine resolute Weibsperson eine Art Marketenderwirtschaft betreibt, ist nicht enger als die Diligence, und hier kannst Du immer noch, wenn Du dem Wetter spottest, auf Deck treten und frische Luft schöpfen. Lange habe ich draußen gestanden und zurückgeschaut auf die Stadt, die mich zwölf Monate gastlich aufgenommen hatte. Nun blieb alles zurück, was mir interessant, freundlich und vergnüglich gewesen war: die Brücke mit ihren hohen Bogen, die Kais in ihrer Lebendigkeit, die Leonhardskirche mit ihren schönen Fenstern, das Untermaintor und die Kleeblattsche Schwimmanstalt, die reizenden Villen am Strom und über allem, am längsten sichtbar, der majestätische Domturm, die Frankfurter Stadtkrone. Ich blieb noch an Deck, um die schönen alten Linden am Grindbrunnen zu grüßen, der jetzt ganz verlassen lag. Welch ein Leben herrschte auf dem Wiesenplatz, als hier im Spätsommer die Bürgerwehr Revue hatte! Am andern Ufer lag der Sandhof ebenso einsam. Am Gutleuthof, wo bald danach das Frankfurter Territorium endet, ging ich unter Deck, etwas wehmütig, wie man gestimmt ist, wenn man einen guten Bekannten verläßt, den man vielleicht so schnell nicht wiedersieht. Das Lied des Handwerksburschen fiel mir ein, dem von Frankfurt zu scheiden gleich schwer wurde: „Es ist ein harter Schluß, weil ich aus Frankfurt muß." Aber was ich hier gesehen und erlebt, trage ich mit mir und wird uns lange Gesprächsstoff sein.

Das ist sicher: Frankfurt war die Reise wert.

Auf ein herzliches Wiedersehen

Dein * * *

# Frankfurt am Main – heute

In Briefen nach Amerika dargestellt
von Heinrich Heym

Perikles schrieb 430 v. Chr.: „Wir vereinigen in uns die Sorge um unser Haus und unsere Stadt. Wenn wir auch verschiedenartigen Tätigkeiten zugewandt sind, so ist doch in den Dingen der Stadt keiner ohne Urteil. Bei uns heißt einer, der an den Dingen der Stadt keinen Anteil nimmt, nicht ein stiller Bürger, sondern ein schlechter." Der Autor der nachfolgenden Briefe nach Amerika, in mehr als zwei Jahren geschrieben, ist von der Einsicht und Ansicht des Griechen Perikles überzeugt und hat unter diesen Voraussetzungen einem ausgewanderten Frankfurter die Entwicklung der Heimatstadt geschildert. Dabei ergab sich natürlich, daß jeder, der Anteil nimmt „an den Dingen der Stadt" auch „ein Urteil" bilden muß. Anders ist Teilnahme nicht möglich. Diese Teilnahme wiederum ist an „Zeitgenossenschaft" gebunden, und so sind die folgenden Briefe, die über die Nachkriegsentwicklung Frankfurts Auskunft geben sollen, keine „Historie". Sie sind nicht Produkte der Wissenschaftlichkeit, denn diese ist der Zeitgenossenschaft versagt. Vielleicht kann man die ersten zehn Nachkriegsjahre heute schon in wissenschaftlicher Sichtung begutachten. Vielleicht ist in ihnen schon „Geschichte". Alles aber, was danach kommt, können jetzt nur „Geschichten" sein. Geschichten, Berichte von einer Stadt, in der man lebt, mit der man sich freut, mit der man leidet. Und so will der Autor diese Briefe verstanden wissen: Sie geben seine Meinung wieder, seine Sorge um diese Stadt, seine Freude an ihr. Wie jeder weiß, gibt es außer einigen Detailschilderungen bisher keinerlei umfassende Interpretationsversuche des Nachkriegsschicksals unserer Stadt. So zeugt der Auftrag der Frankfurter Sparkasse von 1822 von Mut und ist ein Wagnis zugleich; in Gang gesetzt in der Hoffnung auf einen Autor, der im perikleischen Sinne kritisch und liebevoll über die Dinge der Stadt urteilen werde. Das Ergebnis wird hier vorgelegt. Der eine mag diese Briefe als objektiv empfinden, der andere als subjektiv. Wie dem auch sei, sie stellen die Meinung des Autors dar, der sich in einigen „Dingen der Stadt" gern noch von der Geschichte belehren lassen möchte.

## Verzeichnis der Briefe

| | |
|---|---|
| 14. Dezember 1969: | Rückblick auf die Stunde Null – Neunzigtausend Frankfurter Wohnungen sind zerstört |
| 20. März 1970: | Aus Trümmern eine neue Welt – 12,5 Millionen Tonnen Schutt beseitigt |
| 14. Juni 1970: | Auf der Suche nach dem neuen Gesicht – Bürohäuser wachsen in den Himmel |
| 6. September 1970: | Mensch zwischen Beton und Glas – Kritik an der neuen Stadt |
| 17. November 1970: | Frankfurt, die heimliche Hauptstadt – Ein Mittelpunkt im Kampf um die Macht |
| 9. Januar 1971: | Frankfurt baut seine U-Bahn – Schlußstrich unter die „autogerechte" Stadt |
| 2. Februar 1971: | Wissen und Weisheit kosten Geld – Der Drang nach Bildung und Frankfurts Schulen |
| 25. Mai 1971: | Kostbare Schließe im Gürtel der Stadt – 25 Jahre Kampf um das alte Opernhaus |
| 6. Juni 1971: | Ein neues Demokratieverständnis – Bürgeraktionen erzwingen anderen Verwaltungsstil |
| 14. Oktober 1971: | Metropole Frankfurt – Zentrum von Industrie, von Bundes- und Landesbehörden |
| 22. November 1971: | Die Oberbürgermeister von Frankfurt – Bürgergeld für Bürgerkultur |
| 2. Februar 1972: | Das „Goldloch" Frankfurt – Stadt der Banken, der Börse, der Messen |
| 3. März 1972: | Leben aus gutem Geist – Kunst, Kultur, Theater, Museen in Frankfurt |
| 22. März 1972: | Ein Stückchen vom Paradies – Wo Frankfurt auch heute noch schön ist |

Frankfurt, den 14. Dezember 1969

Frankfurt ist eine Stadt voll Ungeduld nach einer neuen Zukunft und hat gleichzeitig Sorgen mit der Gegenwart. Das, lieber Fred, wäre in einem Satz meine Antwort auf Deine Frage, wie es denn um die Heimatstadt stehe, die Du kurz nach der Rückkehr aus der Gefangenschaft für immer verlassen hast. Ich weiß noch, daß wir Dich damals alle ein wenig beneideten. Aber wer von uns hätte nein gesagt, hätte er seinerzeit die Möglichkeit gehabt, durch Bürgschaften von Verwandten nach Amerika auswandern zu können, in ein Land, das schon vielen Frankfurtern im Laufe von zwei Jahrhunderten Heimat geworden ist.
Du fragst mich plötzlich, nach so vielen Jahren, wie Frankfurt heute ist. Ich kann es Dir nur erklären, wenn ich Dir noch einmal in Erinnerung rufe, wie sie aussah, die Stadt, und wie es war, als Du einige Monate hier lebtest und wir einmal bei Freunden in der Savignystraße auf Matratzen übernachten mußten, weil die Sperrstunde der Amerikanischen Militärregierung überschritten war. Eine alte Frankfurterin hatte zu einem Hauskonzert eingeladen, ein heute berühmter Pianist gab sein erstes Konzert. Wir hockten in der Diele, in den anschließenden Zimmern und hörten durch die geöffneten Türen zu. Irgend jemand hatte eine Flasche Whisky mitgebracht, von einem Soldaten eingehandelt. Die Flasche machte die Runde. Ich weiß nicht mehr, was der junge ungarische Pianist spielte. Vielleicht war es Debussy. Die Erinnerung an die Musik ist in mir untergegangen. Übriggeblieben ist nur die Erinnerung an das Milieu, an die Stimmung und die Gestimmtheit.
Das Haus, in das wir geladen worden waren, war nicht ausgebombt, aber die Wände hatten Risse von einer Luftmine, die in der Nähe heruntergekommen war. Manchmal rieselte noch der Kalkstaub, die Dielen knarrten. Die Gastgeberin hatte ein paar Kerzen aufgetrieben, und wir vergaßen an diesem Abend das erste Mal die Trümmerwelt, durch die wir am Tage wanderten. Es war der Schutt von 90 000 zerstörten Wohnungen, der draußen lag, 12,5 Millionen Tonnen. Knapp 180 000 Wohnungen hatte Frankfurt vor dem Krieg besessen. Die Hälfte also war nicht mehr. Von 550 000 Einwohnern waren nur noch 269 000 geblieben, die sich festgekrallt hatten. Kürzlich hat der Fotograf Fred Kochmann eine Ausstellung seiner Bilder aus jenen Tagen veranstaltet. Es waren zumeist Bilder von der Ruinenlandschaft der Altstadt und um die zerstörte Hauptwache. Menschen gehen auf diesen Bildern über Trampelpfade zu Kellerlöchern oder zusammengeflickten, halb zerbombten Häusern. Das Wiedersehen mit dieser Schattenwelt von damals berührte mich merkwürdig. Ich spürte keine Erschütterung mehr beim Blick auf diese zerstörte Welt, dieses Ende mit Schrecken.
Du weißt, am Giebel des Opernhauses stehen die Worte: „Dem Wahren, Schönen, Guten". Ich komme auf diesen Satz noch zurück; später, wenn es Zeit ist, Dir zu erklären, warum Frankfurt heute so ist, so vital, so fortschrittlich, so reich und arm zugleich, warum uns die Fremden beneiden und bedauern in einem Atemzug. Jetzt will ich erst zitieren, was

vor zehn Jahren Richard Kirn und Madlen Lorey, zwei Frankfurter Journalisten, in einem Buch schrieben, das von jener Zeit handelt, in der Du noch hier warst. In diesem Buch „Frankfurt und die drei wilden Jahre" heißt es an einer Stelle: „Alle Schauspieler und Schauspielerinnen, Orchestermusiker und Bühnenarbeiter waren in die Rüstungsindustrie geholt worden. Nun waren sie wieder da – aber es gab kein Theater mehr. Ruine das Opernhaus, Ruine das Schauspielhaus, Ruine Arthur Hellmers Neues Theater, das zuletzt Kleines Haus hieß. Ruine das Volksbildungsheim, Ruine die Kinos, das Metro im Schwan, das Pali, der Bieberbau. Es gab keinen Saal mehr in Frankfurt, außer der Börse und dem Saal im Rundfunkgebäude Eschersheimer Landstraße. Alles lag erstarrt. Die Stadt atmete noch, aber sie atmete wie ein Herzkranker, dem man gesagt hat: ‚Atmen Sie nur flach'." – Wird die allgemeine Situation durch die Aufzählung der zerstörten Kulturgebäude nicht außerordentlich deutlich? Man sieht dahinter die ausgebombte Zeil, die verrußten Mauern der alten Geschäftshäuser in der Kaiserstraße, die armselige Hauptwache mit all den niedergebrannten Häusern ringsum.
Nach dem Krieg hatten die Männer im Rathaus durchaus richtig erfaßt, daß in dieser Stadt seit eh und je eine unfaßbare Dynamik steckt; eine ununterbrochene Gärung treibt zum Fortschritt, seit Frankfurt als Pfalzsiedlung unter den Karolingern in die Geschichte eingetreten ist. Jene faszinierende Mittelpunktslage, die die Stadt im Mittelalter zur Messestadt machte, zur frühen Bankenstadt Europas, zur Stadt der Buchmessen, ist durch die Teilung Deutschlands noch einmal zur zweiten Realität geworden. Damals, Fred, als Du hier warst, wußten wir davon noch nichts, es stand in den Sternen geschrieben. Inzwischen trennt beide Teile Deutschlands eine Mauer aus Stacheldraht. Die Grenze, die dieser Stacheldraht heute markiert, verläuft dort, wo das Reich Karls des Großen aufhörte, verläuft dort, wo sich dann unter dem Neffen, Ludwig dem Deutschen aus dem Ostfrankenreich, das erste Deutsche Reich ausbildete, ehe die allmähliche Besiedelung des Ostens begann.
Frankfurt, nun erneut Mittelpunkt eines Raumes, der schon im frühen Mittelalter von dominierender Bedeutung war, wirkte wie ein Magnet in den ersten Jahren der Nachkriegszeit. Aus den 269 000 Einwohnern beim Zusammenbruch waren im Oktober 1945 bereits wieder 357 000 geworden, und ein Jahr später zählte man 424 000 Menschen. Wo sie gewohnt haben, wird für immer ein Rätsel bleiben, denn von Bautätigkeit konnte noch keine Rede sein. Es wurde nur geflickt und ausgebessert, Keller wurden bewohnbar gemacht, Dachgeschosse zu Wohnungen umfunktioniert. Dann kam der Strom der Vertriebenen aus den Gebieten jenseits der Oder-Neisse-Grenze. Frankfurt wurde zum beliebten Ziel aller Heimatlosen, der Flüchtlinge und der heimkehrenden Soldaten.
Der Name Frankfurt war wie ein Losungswort, vergleichbar vielleicht dem Gerücht von Goldfunden in der amerikanischen Western-Zeit. 1951 lebten bereits rund 550 000 Einwohner in dieser Stadt. Auch für diese Zeit gilt die Frage, wo sie gelebt haben, denn die Enttrümmerung, über die ich Dir im nächsten Brief berichten werde, war zwar im vollen Gange,

aber der Wiederaufbau ging nur zögernd voran. Die ersten Siedlungen wurden begonnen, die Hausbesitzer hatten wieder Mut bekommen, nahmen Hypotheken auf und versuchten, nach und nach die halbzerstörten Häuser auszubessern. Aber das alles war nur ein Tropfen auf einen heißen Stein.
Eben fällt mir ein, daß ich ja selbst weiß, wie wir das Wohnungsproblem lösten. Ich studierte damals und hatte ein Untermieterzimmer in einer großen Westendwohnung. Da lebten: die Wohnungseigentümer, ein Ehepaar, in zwei Zimmern, in drei weiteren Zimmern außer mir ein Theaterkritiker und ein Großvater, im sechsten Zimmer ein älteres Ehepaar. Das Glück war, daß diese Wohnung – das Haus ist längst abgerissen, um einem Bürohaus Platz zu machen – eine große Diele hatte und eine große Küche, in der jeder Mieter seine Lebensmittelvorräte unterbringen konnte. Die Kochzeiten waren genau eingeplant. Jeder wußte immer, wann er seine Pfanne für die Spiegeleier über die Gasflamme stellen konnte. Es kommt mir nun ganz lustig vor, daß mir beim Schreiben solche Nebensächlichkeiten wieder einfallen. Auch die, daß ich dieses Untermieterzimmer verlor, weil eine Pflegerin für den Großvater in die Wohnung mußte. Ich ging auf die Suche und fand in der Fahrgasse, dort, wo heute ein gutgehendes Bekleidungsfachgeschäft steht, ein halbzerbombtes Hinterhaus. Ein leerer Fensterrahmen zog mich an. Ich stieg zwischen Trümmern auf einem Pfad nach hinten, tappte eine dunkle Stiege empor, fand eine angelehnte Tür zu einem ganz scheußlich schmalen Zimmer. Später nannte ich es „mein Handtuch". Durchs kaputte Fenster schien die Sonne. Ich dachte, man könne eine kleine Studentenbude aus dem verstaubten, spinnwebdurchzogenen Raum machen, wenn man ein Fenster auftreiben könnte. Um die Ecke, in der Töngesgasse, standen noch ein paar Häuserstümpfe. An einer Hauswand baumelte mein Fenster. Ein Mann, der im Keller wohnt, verkaufte es mir.
Das war 1951, als Du in der neuen Heimat schon einen Job hattest und eine kleine Familie in einem Häuschen bei Los Angeles. Ich erfuhr es von Deinem Verwandten, Du selber hast ja nur Weihnachtsgrüße geschickt, und es wundert mich ein wenig, daß Du mich jetzt herausforderst, einen so anstrengenden Briefwechsel zu beginnen, damit Du die Geschichte der letzten fünfundzwanzig Jahre Deiner Vaterstadt erfährst. Wenn ich jetzt auch eine Weile aus der Erinnerung geplaudert habe, so braucht man eben doch Zahlen, Statistiken, Fotos, Bilder, Zeitungsausschnitte, das heißt authentisches Material von damals als Nägel für die Erinnerung. Ich schließe jetzt den Brief, werfe ihn in den Briefkasten am Westendplatz und gehe zum Stadtarchiv, einen Nagel holen. Ich brauche Unterlagen über die Trümmerverwertungsgesellschaft, denn die hat die 12,5 Millionen Tonnen Schutt weggeräumt, die Du noch sahst, als Du damals Deinen Pappkoffer packtest.

Dein Heinrich

Frankfurt, den 20. März 1970

Lieber Freund, Du fragst erstaunt, ob es denn wahr sei, was ich Dir schrieb. O ja. Es waren 12,5 Millionen Tonnen Trümmerschutt. Wir haben gedacht, dreißig Jahre würden vergehen bis wir den aus der Stadt hätten. Doch schon in der Hälfte der Zeit war Frankfurt ganz ansehnlich. Wie wir das geschafft haben? Wir haben etwas Ungewöhnliches getan, um das uns andere Städte lange beneideten. Zunächst einmal schuf der erste Oberbürgermeister Dr. Blaum die Grundlage dafür, indem er der Stadt die Enttrümmerung als kommunale Aufgabe zuwies. Gestützt auf ein Gesetz von 1939, beschlagnahmte die Verwaltung alle Trümmer und stellte sogar Diebstahl und Plünderung unter Strafe. Das hieß, der Eigentümer eines zerstörten Hauses konnte über seine eigenen Trümmer nicht mehr frei verfügen. Weitere Wiederaufbaugesetze sanktionierten diese öffentliche Aufgabe.

Es hat natürlich auch Ärger gegeben, denn eine neue Innenstadtplanung legte neue Fluchtlinien fest für die Straßenverbreiterungen und den Bau von neuen Straßenzügen, wie der heutigen Berliner Straße, die parallel zur verbreiterten Zeil den West-Ostverkehr bis zum Allerheiligentor auffangen sollte. Das gleiche gilt für die Biebergasse zum Beispiel, vor allem für Deine geliebte „Freßgaß", die Du nicht mehr wiedererkennen wirst. Daran freilich, daß sie noch heute im Volksmund so heißt, läßt sich ermessen, daß sie ihren alten Sinn nicht verloren hat. Du kannst dort immer noch leckere Sachen einkaufen, Delikatessen, Südfrüchte, Weine, Du kannst dort noch immer in einigen Lokalen futtern. Nur die Gemütlichkeit dieser Straße ist für immer vorbei. Diese Gasse ist eine Rennstraße geworden, über die Du von der Zeil und Hauptwache zum Opernplatz und weiter ins Westend hetzen kannst.

Zurück zur Enttrümmerung und zu den Wiederaufbaugesetzen, die unpopulär waren, weil sie manchem einen Teil des Grundstückes für die Straßenverbreiterung abzwackten oder, wie in der ehemaligen Altstadt, zum zwangsweisen Verkauf führten. Aller Grund und Boden zwischen Römerberg und Dom ist heute in den Händen der Stadt. Viele Frankfurter haben sich darüber erzürnt. Sie empfanden die Maßnahmen als Bevormundung, und die neuen Herren im Römer wurden kritisiert, weil sie die Freiheit einengten. Vielleicht war es seinerzeit richtig, daß der nicht nur gutbeleibte, sondern auch beliebte Walter Kolb der erste demokratisch gewählte Nachkriegsoberbürgermeister geworden ist. Mag er auch, wie seine Kritiker sagen, von erstklassiger Verwaltungstechnik nicht viel verstanden haben, aber reden konnte er! Er wußte, die Bevölkerung zu packen. Er hatte ein Gespür für populäre Maßnahmen und als Rheinländer dennoch einen siebten Sinn für Frankfurter Tradition. Der horchte auf des Volkes Stimme. Und mit ihm der Magistrat.

Wir wollten zum Beispiel nach dem Krieg nicht einsehen, weshalb die gute alte Kaiserstraße umbenannt worden war in „Friedrich-Ebert-Straße". Wir fanden, das sei zuviel des politischen Kehraus. Man hatte manchen großen Nazi laufen lassen, warum sollte eine traditionsreiche Straße

die Zeche bezahlen? – So nahmen eines Tages die Herren Royce, Seiter, Wöhler und Frei, Mitarbeiter der „Abendpost“, eine Leiter, setzten Zylinder auf und zogen zur Ecke Taunusanlage. Dort legten sie die Leiter an, strichen den neuen Namen durch und hefteten ein Schild „Kaiserstraße“ darüber. Eine Rede wurde gehalten. Sie ist nicht überliefert. Aber Zeugen berichten, sie sei witzig gewesen, denn damals hatte man in Frankfurt noch Humor. Es gab eine kleine Massenkundgebung für das alte Frankfurt, und OB Kolb sah ein, daß die Stadt ihre Kaiserstraße wiederhaben mußte, so wie Düsseldorf die „Kö“ behalten hatte und Berlin noch immer mit dem „Kudamm“ renommierte. Du mußt bei all dem wissen, daß wir damals noch stolz waren auf unsere Kaiserstraße und das Bahnhofsviertel. Heute ist unser Bahnhofsviertel verrufen in aller Welt. Es hat uns den Namen „Klein-Chikago“ eingebracht.
Jetzt aber zu der „Trümmerverwertungsgesellschaft“ und den 12,5 Millionen Tonnen Schutt! Die sogenannte TVG wurde am Riederwald errichtet. Der angefahrene Schutt wurde auf Fließbändern zunächst zu schweren Mörsern transportiert. Die modernen Mühlsteine knackten die großen und kleinen Steine, die sie dann in verschiedenen Mahlwerken zu unterschiedlich großen Bröckchen zerkleinerten. Auf Fließbändern rutschte die zerriebene Wirklichkeit in große Silos. Von dort holten sie Transportbänder ab zu riesigen Mischmaschinen. Zement kam hinzu, Feinsand und Wasser. Es entstand ein dicker Brei, der in Formen zu neuen Steinen, zu Hohlblocksteinen gegossen wurde. Diese packten wieder die Bänder und schleppten sie ins Freie zum Trocknen. Und dann kamen die Lkw und luden sich die neuen Steine aus der alten Stadt auf den Rücken und fuhren sie zu den Baustellen der Siedlungen, wo im Rekordtempo Häuser gebaut wurden für Menschen, die wieder wohnen wollten.
Wer es einmal gesehen hat, vergißt es nicht. Aus dem Schutt, in dem Jahrhunderte versunken waren, wurde hier draußen ein neues Jahrzehnt, ein neues Jahrhundert „gebacken“. Bis zum Jahresende 1962 waren aus dem Trümmerschutt mehr als 3,5 Millionen Tonnen Bausteine entstanden. Das sind Steine für rund 75 000 Wohneinheiten, in denen etwa 250 000 Menschen Platz fanden. Hätte man diese Steine auf einen Güterzug verladen, reichten die Waggons von Wien bis Kopenhagen und noch ein Stückchen weiter. Hätte man alle Steine für eine lückenlose vierstöckige Häuserzeile verbaut, würde diese Häuserzeile Karlsruhe und Frankfurt verbinden und dann noch über Frankfurt hinaus bis Gießen ziehen. Vierzig Prozent unserer Trümmer wurden zum Aufschütten verwendet. Erinnere Dich an die Bombenkrater, die Du noch gesehen hast, das waren unersättliche Mäuler, die gefüllt werden mußten! Für Brückenrampen wurde Material gebraucht, für Straßenauffüllungen. Du siehst, wir waren gründlich. Getreu dem Goethewort, „Du kannst Dir nicht entfliehen“, fuhr auf Lastwagen, Straßenbahnanhängern und auf den Wägelchen einer kleinen „Trümmerbahn“ die alte Stadt nach Norden. Sie kam zermahlen als Splitt, eingebettet in Feinsand und Zement wieder zurück und lebt nun überall in neuen Häusern weiter.

Du wirst vielleicht sagen, wir hätten aus einer gewachsenen, schönen alten Stadt ein künstliches Frankfurt gebaut. Ganz unrecht hättest Du nicht damit, denn manchmal will mir scheinen, als sei ein in dieser Stadt eigentlich unbekannter, etwas ungezügelter Ehrgeiz seinerzeit mit in die Steine gebacken worden, und die neue Welt aus Beton und Glas, die uns langsam in der Innenstadt einspinnt, sei immer noch ein wenig verhext von der Backofenhysterie der Trümmerverwertung. Eine Spur vom alten Geist der Stadt scheint freilich von den riesigen einstigen Schutthalden am Ostpark in Steinen auch zurückgekehrt zu sein. Es sind die Kobolde des Widerstandes gegen die Verödung der City – so nennen wir jetzt die Innenstadt –, die immer wieder rumoren und unsere Beamten in der Verwaltung zwacken.

Die Enttrümmerungsszenen jener Tage kannst Du Dir kaum vorstellen. Überall, wo ein Bagger auftauchte, blieben wir stehen, reckten den Hals über Bauzäune. Die mechanisierte Gewalt, die da Trümmer griff und hochschwenkte und drehte und ausleerte, faszinierte uns. Ich weiß nicht, worauf alle warteten, wenn sich die riesigen Zähne in den Boden gruben. Damals, es war 1951, sah ich einmal einen alten Mann auf einem Klappstühlchen vor einem Trümmerloch an der Hasengasse sitzen. Ich schrieb eine Kurzgeschichte darüber; Du wirst etwas von der Stimmung jener Tage darin finden. Die Geschichte heißt „Der Bagger und der alte Mann":

Der alte Mann war gekommen, hatte seinen Klappstuhl auf den Bürgersteig gestellt und war sitzengeblieben, den ganzen langen Tag. Am nächsten Morgen setzte er sich wieder an dieselbe Stelle. Der Bagger drehte sich, senkte wie ein urwelthaftes Tier den Hals zu Boden und fraß sich gierig in den Trümmerberg. Dann stöhnte er auf, hob den Hals und schwenkte mit seiner Last zurück. Jedesmal, wenn sich das Riesenmaul über dem Lastwagen öffnete, überkam den Alten ein Grauen. Er saß da, hatte das Kinn mit dem weißen Vollbart in die Hände geklemmt und verfolgte mit seinen kleinen, noch hellen Augen das Drehen, Senken und Hineinwühlen in den Schuttberg. Der Baggerführer sah den Alten sitzen. Der junge Hilfsarbeiter sah ihn sitzen. Die Straßenpassanten schüttelten den Kopf und gingen weiter. Am Mittag wurde es dem Hilfsarbeiter zu dumm.

„He, Mann!" rief er, „was soll das? Wohl aufpassen wegen dem Schrott?"

Der Alte drehte sich langsam nach ihm um.

„Ich wohne doch bei meiner Tochter im Taunus", sagte er. „Von Schrott verstehe ich nicht viel. Was mein Nachbar ist, der hat nur erzählt, daß jetzt hier aufgeräumt wird. Da bin ich hergefahren."

Dann stand er auf und tapste über die Steine. „Hierherum muß es sein", sagte er. „Hierherum hat mein Haus gestanden."

Dabei deutete er ein wenig aufgeregt in den Trümmerhaufen.

„Ach so", antwortete der Hilfsarbeiter. Dann riß er den Alten zurück, weil er dem Bagger zu nahe gekommen war.

Der Alte sah erschrocken in das große Maul. „Wo bringt ihr denn das alles hin?" fragte er nach einer Weile und deutete auf den Lastwagen.

Die Frankfurter Hauptwache, 1968 historisch getreu wiederaufgebaut.

Frankfurter Mainufer südlich der Untermainbrücke, von Sachsenhausen aus gesehen.

„Vor die Stadt", erwiderte der Hilfsarbeiter. „Da sind noch die großen Löcher von den Bomben."
„So, so", sagte der Alte. „Da schüttet ihr das nun alles hinein, auch mein Haus?"
„Ja, freilich", antwortete der andere.
Der alte Mann sah wieder auf den Bagger und beobachtete, wie er sich drehte, senkte, wie er wühlte.
„Es ist nur die Tochter übriggeblieben", sagte der Mann leise.
Plötzlich nach einer Pause, fragte er: „Ich störe doch nicht? Wissen Sie, es war halt ein langes Leben, hier in der Stadt. Man kann sich doch mal ansehen, was so mit der Vergangenheit gemacht wird?"
Dann stand er etwas hilflos und verloren zwischen den Trümmern. Zuletzt sah er den Hilfsarbeiter wieder an. „Ob da draußen wohl Gras drauf wachsen wird?" fragte er.
„Freilich wächst da Gras drauf", sagte der Hilfsarbeiter.
„Gras! Das ist gut", sagte der Alte. „Meinen Sie?" fragte er weiter, dabei sah er den Hilfsarbeiter bittend an, „meinen Sie, ob da vielleicht auch mal ein Baum wachsen wird? Es wäre doch möglich – oder nicht?"
„Doch, doch", antwortete der Hilfsarbeiter. „Das kann schon sein. In der Nähe liegt ein Garten, da stehen Kirschbäume. Es kann schon mal ein Baum aufwachsen."
„Ja, ein Baum, das wäre schön", meinte der Alte. „Der wird groß werden, die Vögel werden kommen, und Kinder, um die Kirschen zu stehlen."
Da lachte der Hilfsarbeiter. „Freilich", sagte er. „Kinder stehlen immer Kirschen!" Der Hilfsarbeiter wurde unruhig, sein Baggerführer winkte.
„Ja, ja", sagte der Alte, „das wäre schön!" Dann klappte er sein Stühlchen zusammen und ging.
„So was", sagte der Hilfsarbeiter zu seinem Baggerführer, „der Alte da glaubt wirklich, daß mit seiner Vergangenheit noch was anzufangen ist!"
Dann wühlte er mit den Händen ein Stück Kupferrohr aus dem Schutt und verbarg es. –
Lieber Freund, denk einmal über diese Geschichte nach, und vergiß nicht, gelegentlich auf meine Briefe zu antworten.

Dein Heinrich

Frankfurt am Main, den 14. Juni 1970

Vielleicht wirst Du, lieber Fred, Dich gefragt haben, was diese Geschichte vom Bagger und dem alten Mann heute noch wert ist? Sie ist nur ein ganz kleines Bild aus dem großen Mosaik der damaligen Wirklichkeit, ein Erinnerungsfoto, und wie alle solche Souvenirs der Vergangenheit, mit der Patina der Gefühle aus jenen Tagen belegt. Sie gibt nur ein Stückchen der Trümmerwelt wieder. Aber ich stand an dieser Trümmerstätte. Ich sah den Bagger. Ich sah den alten Mann am Rande der Grube auf dem Klappstühlchen sitzen. Er saß lange. Ich sah, wie der Hilfsarbeiter das

Kupferrohr unter dem Rock versteckte und beiseite trug, denn das Metall brachte viel Geld in jenen Tagen. Es gibt also durchaus ein paar Merkzeichen der Realität in dieser Erzählung. Die Wirklichkeit liefert nachträglich immer ein paar Fakten für die Geschichte der „großen Taten", die nach den kleinen Leuten nie gefragt hat.

Damals, als jene Grundstücke verkauft wurden, für deren Wiederaufbau der Besitzer kein Geld besaß, wurden für den Quadratmeter Grundstück in der Innenstadt zwischen fünf und fünfundzwanzig Mark geboten. Heute aber bekommt man bis zu zehntausend Mark für einen Quadratmeter Boden an dieser Stelle. Diese Zahl ist nicht erfunden. Du siehst, der Wert Frankfurts ist erschreckend gewachsen; um das Fünfhundertfache! Erschreckend! Warum?

Freund, Du wirst es nicht glauben, zehn Jahre schon spielt die Stadtplanung mit Bürohochhäusern am Roulettetisch der Gewerbesteuer. Man hoffte auf zukünftige Summen aus dieser Steuerquelle. Aber seit 1. Januar 1970 hat die Regierung in Bonn für den Staatshaushalt einen höheren Anteil dieser Steuer gefordert. Irgendwann wird es soweit sein, daß die Städte, die so hoch verschuldet sind, nur noch einen schäbigen Anteil abbekommen. Wer ein wenig weiter sieht als von Pfingsten bis Darmstadt – Du kennst den alten Frankfurter Ausdruck noch? –, weint schon jetzt jedem Einwohner nach, der Frankfurt verließ und verlassen mußte.

Es wird wohl der Tag kommen, da der Stadtkämmerer wie Petrus mit dem Fischernetz auf Menschenfang geht, um Einkommen- und Lohnsteuer zahlende Seelen wieder für Frankfurt einzusammeln, denn der Anteil der Städte an dieser Steuer wiederum ist etwas höher geworden. Wir haben nicht nur Bürger verloren, weil ihnen die Stadt durch Baulärm, Verkehrslärm und ungesunde Luft verleidet worden ist, wir haben sie auch verloren, weil seit zehn Jahren Bauherren aus der halben Welt mit Frankfurts innerstädtischem Boden spekulieren. Sie bedrängen und verlocken die Hausbesitzer, ihre Häuser zu verkaufen, für gutes Geld natürlich. Sie lassen sich dann Bürohochhäuser bauen, die sie wieder für noch besseres Geld vermieten. Da die Grundstückspreise so hoch gestiegen sind – die Nachfrage bestimmt den Preis –, muß man hoch hinaus bauen, sonst rentiert sich die Investition nicht. Die Stadtverwaltung hat das gern gesehen und nach Kräften gefördert. Je höher die Häuser, umso mehr oder umso größere Firmen kommen darin unter, und umso größer ist die Steuereinnahme – dachte man, als man noch nicht wußte, in welche Richtung der Finanzminister in Bonn das Rad der Gewerbesteuer drehen würde.

Das ist leider eine wahre Geschichte. Sie ist so wahr wie die Tatsache, daß aus Deinem schönen Westend auf diese Weise mehr als zwölftausend Bewohner vertrieben worden sind. Und noch ist kein Ende damit.

1960 hatte Frankfurt noch rund 670 000 Einwohner, nämlich 645 000 Deutsche und ca. 25 000 Ausländer, und jetzt, nach zehn Jahren, haben wir etwa 667 500 Einwohner insgesamt, darunter fast 90 000 Ausländer; die Anzahl der deutschen Einwohner Frankfurts – heute rund 580 000 – hat sich im letzten Jahrzehnt um etwa 65 000 verringert, das heißt, diese Frankfurter haben die Stadt freiwillig verlassen oder mußten sich zwangs-

Die Leonhardskirche, 1219 erbaut

läufig draußen im Vortaunus oder im Süden zwischen Neu-Isenburg und Darmstadt eine neue Heimat suchen. Zum Teil hat die Stadt sogar mit eigenem Geld den Wohnungsbau im Umland gefördert. Vielleicht mit der Absicht, in Frankfurt selbst auf diese Weise Platz für den „tertiären Sektor" zu schaffen. Der tertiäre Sektor, das ist eine Erfindung der europäischen Nachkriegszeit und meint die Ausbreitung eines dritten Gewerbes, das der Dienstleistung: die Banken, die Versicherungen, die Werbefirmen, die Managerbüros, die Verwaltungsgremien der Industriekonzerne, kurz eben alles, was weder handwerklich noch industriell produziert und auch nicht im Sinne des Groß- und Einzelhandels Ware umsetzt.

Wenn ich mich nicht irre, hast Du, lieber Freund, einmal Geschichtsunterricht bei Friedrich Bothe gehabt, der vor dem ersten Weltkrieg im Auftrage der Stadt die erste und bisher einmalige umfassende Stadtgeschichte schrieb. Bei Bothe ist nachzulesen, daß Frankfurt schon im frühen Mittelalter die Kaufleute angezogen hat. Sie kamen aus Köln, wie die Melems, oder aus Marburg, wie Siegfried zum Paradies. Sie kamen aus Friedberg und Fulda, aus Worms und Nürnberg, aus Hamburg und Wien. In allen Jahrhunderten frischte sich Frankfurt auch durch den Zuzug aus dem hessischen Umland auf. Von dort kamen vor allem im 18. und 19. Jahrhundert die Handwerker und Dienstboten, während die Bankleute und Großkaufleute von weither zuwanderten. Sogar Firmen und Banken aus überseeischen Ländern richteten hier Handelsniederlassungen und

Kontore ein. Frankfurt, das ist sicher richtig, galt vom ersten Tag der Stadtwerdung an durch seine europäische Mittelpunktslage als ein guter Tip für Geschäfte jeder Art. Freilich, Du wirst Dich aus dem Geschichtsunterricht daran erinnern, hat bis 1866, ehe die Preußen kamen, der Senat sorgsam die Entwicklung kontrolliert und schließlich durch Bausatzungen für ein kontinuierliches Wachstum gesorgt. Auch in der Zeit, als Frankfurt preußische Kreisstadt geworden war, hielt die Verwaltung die Zügel straff in der Hand. Denk an Adickes. Er hat schnell zugegriffen, als im Zuge des stürmischen Wachstums ab 1880 eine wilde Spekulationswut vor allem in der Nähe des heutigen Dornbuschs begann. Man nannte die damalige Bausatzung nicht umsonst „Lex Adickes". Zu dieser Zeit wurde bereits der großartige und großzügige Alleenring um die Innenstadt geschaffen, eine Verkehrslösung, um die man heute noch Frankfurt beneiden kann wie um die Grünanlagen in der Innenstadt, die bereits nach 1806 angelegt wurden.

Frankfurt war immer eine dynamische Stadt, und ich glaube, sie hat stets rechtzeitig gewußt, sich selbst zu steuern. Nach diesem Krieg haben wir anscheinend keinen rechten Instinkt für die Geschichtlichkeit Frankfurts gehabt, und so verloren wir seine Zukunft etwas aus den Augen. Die Verkehrsplanung arbeitete im ersten Nachkriegsjahrzehnt von der Hand in den Mund. Erst mit Beschluß vom 4. Juli 1961, eine U-Bahn zu bauen, weil um diese Zeit bereits 140 000 Menschen in der City arbeiteten, darunter fast die Hälfte aus dem Umland, begann man endlich, einen Generalverkehrsplan zu entwickeln. Einzelpläne, wie den für den Wiederaufbau der Altstadt, die Zeil, den Durchbruch Berliner Straße, die von der Weißfrauenstraße schnurstracks zum Allerheiligentor zieht und noch heute zwei „Flaschenhälse" hat, gab es schon. Es gab auch einen Verkehrsplan für das Hauptbahnhofsviertel. Nur die Gesamtverkehrsplanung mußte nachgeholt werden. Was im Gegensatz zum Verkehrsplan allerdings noch heute vermißt wird, ist ein Generalbebauungsplan für die ganze Stadt. In diesem Juni 1970 gibt es noch nicht einmal Strukturpläne für einzelne Stadtviertel.

Dieser Zustand ist unbegreiflich, denn andere Städte haben ein solch totales Konzept für den Wiederaufbau und die Sanierung schon bald nach dem Krieg entwickelt. Selbst das viel kleinere Mainz hat sich nach 1945 von unserem ehemaligen Stadtbaurat Ernst May einen Generalbebauungsplan entwerfen lassen. Wir haben in dieser Beziehung leider keine Fortune gehabt und uns zu sehr auf ein Glück verlassen, das es beim Wiederaufbau von Städten nicht geben kann. Dabei sah es Ende der fünfziger Jahre einmal so aus, als hätten wir ein gutes Konzept. Damals propagierte der Baudezernent eine Stadt, die den Druck aus dem tertiären Sektor durch Bürobauten und Bürohäuser entlang der Radialstraßen auffangen sollte. Das sind jene Straßen, die vom Stadtkern her in alle Himmelsrichtungen nach draußen ziehen. Beispielsweise die Eschersheimer Landstraße, die Hanauer Landstraße, die Mainzer Landstraße, die Bockenheimer Landstraße, die Hansa-Allee, die Eckenheimer Landstraße, die Friedberger Landstraße. Vor allem war

Im Nizza

dabei an jene Straßen gedacht, die für den U-Bahnbau vorgesehen waren, damit der Berufsverkehr auf diese Weise mit dem Geschäftsleben zusammengebunden werden konnte. Dies wäre wohl keine schlechte Lösung gewesen.
Bisher ist freilich nur die Bockenheimer Landstraße mit Konsequenz in diesem Sinne bebaut worden. Dazu kommen die Mainzer Landstraße und der untere Teil der Eschersheimer Landstraße. Die Eschersheimer hat seit 1968 bis zum Dornbusch eine U-Bahnstrecke, die vielumstritten ist, weil sie am Dornbusch wieder aus der Erde kommt und das Viertel bis zum Weißen Stein in zwei Teile spaltet. Man verfuhr damals so, um zunächst Geld für weitere Teilstrecken in der City übrig zu haben. Der Verkehrsdezernent – er heißt Walter Möller und wurde übrigens nach dem etwas verzweifelten Weggang des dritten Oberbürgermeisters der Nachkriegsjahre, Werner Bockelmann, für die schwere Aufgabe des U-Bahnbaues ausgewählt – hat dieser Tage gesagt, ein zweites Mal würde so etwas wie die Eschersheimer Landstraße nicht passieren. Es scheint, man hat eingesehen, daß es falsch ist, zugunsten des Verkehrs durch U-Bahntrassen Stadtviertel auseinanderzutrennen. Ich hatte gesagt, daß das ursprüngliche Konzept der Ansiedlung von Firmen der verwalteten Welt an den Radialstraßen nur andeutungsweise verwirklicht worden ist.
Es wird ein Geheimnis bleiben, ob man hier zunächst die Schwierigkeiten überschätzt hat oder einfach den Weg des geringsten Widerstandes ging; das ist der Weg, den sich die Privatwirtschaft selbst in das mangels

Planung völlig unüberschaubare Gewirr der Großstadt schlug. Wo die Fahrt hinging, ließ sich erst absehen, als zum Beispiel im Westend, abseits der Bockenheimer Landstraße, die ersten größeren Bürobauten und dann die Bürohochhäuser aus der Erde wuchsen. Das Westend, lieber Fred, Du weißt das noch, hat aus seinen Gründerjahren zahlreiche villenartige Bürgerhäuser über den Krieg hinweg retten können, die durch ihre Großwohnungen zunächst Rechtsanwälte, Ärzte, Handelsvertretungen, Konsulate usw. anzogen. Auf diese Weise begann die Umfunktionierung des Viertels, das sich für Firmen als immer attraktiver auswies. Man konnte in solchen alten Bürgerhäusern repräsentieren und hatte zunächst sogar noch genügend Parkraum für Angestellte und Besucher in den schönen Straßen zur Verfügung. Ich vermute, daß unsere Verwaltung bei der steigenden Nachfrage hier die Chance sah, auf schnellstem Wege zu vielen zehntausend Quadratmetern Büroraum zu kommen. Die Spekulanten haben, gleich ob Deutsche oder Ausländer, den Hausbesitzern dann keine Ruhe mehr gelassen und immer mehr geboten, bis sie drei, vier, fünf Westendhäuser aufgekauft hatten und das Gesamtgrundstück groß genug war, um alle Bedingungen für einen Hochbau von zwanzig und mehr Stockwerken zu garantieren.
Ich will versuchen, Dir aufzuzeigen, wie die Hochhäuser in die Seitenstraßen der Bockenheimer Landstraße, in das Westend hineingewachsen sind: An der Ecke Kettenhofweg / Ulmenstraße steht jetzt schon solch ein Riese. Auf der anderen Seite der Ulmenstraße, hinauf bis zur Bockenheimer sind heute wieder vier Wohnhäuser, die nach dem Krieg gebaut worden sind, „geweiht", wie die Westendbewohner es ausdrücken. An der Ecke Ulmenstraße / Guiollettstraße entsteht ebenfalls ein Hochhaus. In der Niedenau / Ecke Bockenheimer Landstraße ist der Rohbau bald fertig. Weiter nach Süden zu wird im kommenden Jahr ein großes altes Westendhaus abgerissen. Unten in der Rüsterstraße sind Bürohäuser entstanden. Wenn kein Wunder geschieht, wird in ein paar Jahren der gesamte Kettenhofweg bis zur Senckenberganlage mit Hochhäusern bestückt sein. Bis zur Feuerbachstraße ist schon alles aufgekauft und soll abgerissen werden. An der Feuerbachstraße, zwischen Kettenhofweg und Bockenheimer stehen nur noch zwei oder drei Wohnhäuser. Es ist traurig am Abend in diesen Straßen. Sie sind ohne Leben. Die Myliusstraße, in der ich einmal wohnte, kennst Du heute nicht mehr wieder. Auch hier sind nur ein paar Wohnhäuser übriggeblieben. Zwischen Grüneburgweg und Friedrichstraße hat sich eine ganze Herde von neuen Bürobauten versammelt, darunter auch an der Oberlindau und Unterlindau. An der Ecke Grüneburgweg und Wolfsgangstraße ist das Fundament für ein gigantisches Geschäftshaus fertig.
Wie ich Dich kenne, wirst Du mich im nächsten Brief fragen, wie die Hochhäuser in Frankfurt aussehen. Ich nehme die Antwort vorweg: Nicht besser als anderswo. Der Architekturkritiker einer großen Frankfurter Zeitung hat kürzlich darüber gelästert, nicht nur über die Frankfurter Hochhäuser. In ganz Deutschland stehen diese rechteckigen Türme herum, Zeugnisse eines Baudenkens, das eigentlich längst überholt ist.

Blick vom Rothschildpark auf Kolbe-Skulpturen und Hochhausgruppe

Es wird hier fast nur funktionell gebaut, kaum ein elegantes Bauwerk oder eine Abweichung von der kubischen Monotonie findet sich. Doch gibt es immerhin in Frankfurt auch ein paar gute Lösungen. Zum Beispiel steht an der Ecke Bockenheimer Landstraße und Reuterweg, an der Südseite des Rothschildparkes eine Hochhausgruppe, die in ihrer Gesamtanlage weltstädtisches Format zeigt. Unter dem Titel „Morgenrot einer zukünftigen Stadtlandschaft“ habe ich dazu 1965 in der Frankfurter Allgemeinen Zeitung ein Feuilleton veröffentlicht. Wenn ich heute die Überschrift sehe, bin ich entsetzt. Denn was danach kam, war ein „Nachtgebet“. Dies noch voraus: Das hübsche Restaurant, von dem ich damals schrieb, ist inzwischen auch einem Büro gewichen. Lies also meine Hymne auf die Architektur aus einer Zeit, in der wir noch an Architekten glaubten:
„Am Abend, wenn die Konturen langsam zerfließen, Farben ihren Charakter verlieren und ins Grau, Blau und Schwarz der Nacht eintauchen, gewinnen die riesigen Glasfronten rings um das Café-Restaurant an der Bockenheimer Landstraße eine neue Funktion. Wie Zauberer sind sie und tauschen allmählich das Drinnen und Draußen. Der Kern, in dem man noch sitzt, scheint sich zu dehnen und hinauszuschwimmen in die Schale, in die Hülle aus neuer Architektur: ein seltsamer Wald aus Stahl und Beton, Glas, Klinker, Metall und Lineatur mit tausend Fenstern; schöne, hängende Blätter an einem zweiundzwanzigstöckigen Baum.

Baum! Bäume! Rothschildpark! Er war es noch an dieser Stelle vor ein paar Jahren. Eine Flucht von alten rostigen Gitterstäben am Bürgersteig entlang. Aber dahinter das Grün. Eine Versprechung aus Bäumen, Hecken, Büschen. Der Einschlupf, das Tor an der Ecke zur Oberlindau, lang nach dem Krieg noch ein Portal zu einem Stückchen sanft verwilderter Landschaft; Paradies suchender Großstädter, die das Neue nicht finden konnten, weil es noch nichts davon gab. Die am Alten hielten, an verwilderter Ruhe und sich freuten an Büschen und kleinen Bäumen, die allmählich auf den gestürzten Mauern des alten Rothschildchen Palais' aufwuchsen; letzte Versprechung einer zu Ende gegangenen Welt, die am Schluß die Schönheit mit Bomben bekämpft hatte. Die gegen die Kunst war. Natur auf den Trümmern der Kunst, das war das Symbol! Denn der Park, er war Kunst gewesen, ab 1832 von Amschel Rothschild, dem Sohn des Begründers der berühmten Dynastie, der alten Natur vor der Stadt abgewonnen. Kunst war der Park, ein englischer Garten; Kunst war das Palais, ein klassizistischer Bau mit sanften Andeutungen an eine Renaissance, die es für die ehemaligen Bewohner des Gettos ja im Geistigen hier gegeben hatte. Kunst war der kleine Weiher mit den schwingenden Brücken: In der Erinnerung ein Nachtigallenwinkel, im Gedächtnis an eine Bombennacht noch wirkend wie ein Interieur aus Jade auf einem japanischen Rollbild. Kunst inmitten der Stadt, eingefriedet, behütet, privater Besitz, bis 1938 die entarteten Deutschen im Römer die erlesene Einsamkeit aufbrachen durch Rassengesetze und Konfiskation. Dann, wie gesagt, Bomben und die Verwilderung und eine neue Stadt, die Besitz nahm vom Park. Noch 1954 schilderte in dieser Zeitung ein alter Frankfurter Einwohner: ‚1948 schloß die Stadt dann das im und nach dem Krieg stark verwahrloste Gelände auf, ließ neue Wege anlegen und die Vegetation durch Gärtnerhand ordnen. Stille beginnt wieder die Besucher dieses schönen Fleckchens Erde an der Bockenheimer Landstraße zu umfangen. Nur die Ruine der alten Villa erhebt sich noch gleich einem Menetekel über diesem Stück Frankfurter Geschichte. So war der Park noch einmal ‚öffentlich' geworden und war es doch immer noch durch Unrecht. Wer weiß, ob der alte Baron Benedikt Freiherr von Rothschild, gestorben 1940, dem man aus übergroßer ‚Gnade' wenigstens das Recht gelassen hatte, bis zu seinem Lebensende auf seinem Besitztum zu wohnen, diesen Park eines Tages nicht auch den Bürgern der Stadt geschenkt hätte.'

Eines Tages mußte aus Unrecht wieder Recht werden, und die Stadt entschloß sich zu einem Vergleich mit den Rothschild-Erben, in dem grundsätzlich vorgesehen war, einen Streifen von rund hundert Meter Tiefe an der Seite der Bockenheimer Landstraße zur Bebauung freizugeben. Die Stadt gestattete dann zunächst auf einem früher schon bebauten Gelände an der Ecke Opernplatz den Bau des Zürich-Hochhauses samt quergestelltem Anbau. Am Schluß machte sich der blaue Zeigefinger am Opernplatz besser als alle Skeptiker gedacht hatten, und die Berliner Handels-Gesellschaft, die das anschließende Stück Rothschildpark zum Bebauen erworben hatte, begann mit den Vorarbeiten.

Das Nizza mit Blick auf Eisernen Steg und Kaiserdom.

Frankfurts große Kaufstraße – die Zeil – von der Hauptwache aus aufgenommen.

Damit begannen auch die Proteste. Privatpersonen, Vereinigungen, Bezirksverbände protestierten mit Telefonanrufen, Briefen, Versammlungen und Verwaltungsklagen gegen den Bau weiterer Hochhäuser an dieser Stelle. Genau genommen war man nicht einmal im Unrecht. Das Gesetz von 1927 war da und vor allem das Gefühl von Verlust. Darin kann kein Zweifel bestehen: Jeder Baum, jedes Stück Rasen ist ein Verlust im Stoffwechselhaushalt der Stadt, biochemisch gesehen, gesundheitlich gesehen. Aber mehr noch ist dies alles ein schrecklicher Verlust für das Gefühl.

Wer damals protestierte gegen die ‚Verschandelung' des Rothschildparks, tat es nicht ohne Erfolg. Wie immer Protest heute nötig ist, um dem Übereifer zu wehren, dem Radikalismus die Ohren abzuschneiden. Wer damals protestierte, erreichte, daß die Stadt und die Berliner Handels-Gesellschaft aus dem Protest lernten, daß man Liebende nicht kränken soll. Sie versprachen, so zu bauen, daß man von der Straße her den alten Park noch fühlen könne. Sie versprachen, hier eine Hochhausfamilie zu errichten, die einerseits eine echte Erweiterung der City bedeute, den Park nicht töte und doch wiederum in sich selber schön sein sollte. Die Reduzierung des Parks ist meßbar. Wer nun aber von der Bockenheimer Landstraße kommt, gewinnt ein anderes Bild. Statt eisernem Zaun auf moosiger Mauer schmiegt sich jetzt eine Bucht aus Mauern und Platten, Rasenschneisen, Treppen und Durchgängen an die alte Straße. Im Vor und Zurück, im Ausbiegen und Vorschnellen formiert sich da eine ganz neue Landschaft. Türme, Kuben und Blöcke werden zum kleinen Gebirge; maßentworfen, maßgebaut. Oder: Riesige Bäume aus der Urzeit, hoch in den Himmel ziehend, dann wieder groß und flach unterm Wind der Zeit. Durchgänge dazwischen, Höhlen und Pfade, Trassen, die sich hineinschieben in den alten Park und ihn an ihren Flanken heransaugen, bis vor zur Straße. Geben und Nehmen, ständiger Tausch einer kunstvollen Natur und einer natürlichen Kunst.

Hier ist ein Beispiel ganz besonderer Art, und man mag hoffen, Frankfurt nähme es sich zu Herzen. Hier ist ein Stück Morgenrot der zukünftigen Stadtlandschaft, erbaut nicht mit Emotionen, erbaut mit geistigen Gefühlen, weisend in den Raum einer anderen Romantik, von deren schöner Künstlichkeit wir morgen leben werden. Leben müssen. – "

Lieber Fred, kannst Du Dir vorstellen, wie es jetzt dort aussieht im Rothschildpark? Nein! Du kannst es nicht. Denn das Bild, das ich damals entwarf, stimmt nicht mehr. Die Behörde hat im Jahre 1969 nachgegeben und noch einmal ein Hochhaus im Rothschildpark genehmigt, obwohl ausdrücklich versichert wurde, nach der beschriebenen Hochhaus-Familie würde kein Quadratmeter Boden mehr vom Park angerührt.

Ich weiß nicht, was ich davon halten soll. Die Frankfurter jedenfalls beginnen zu resignieren. Sie sagen: Es hat ja alles keinen Zweck, die im Rathaus machen ja doch, was sie wollen. Schreib' mir gelegentlich, ob die Behörde bei Euch auch so über den Kopf der Bürger hinweg entscheidet.

Für heute

Dein Heinrich

Frankfurt am Main, den 6. September 1970

Du hast recht, lieber Freund, ich habe bei der Schilderung der großartigen Enttrümmerungsphase zwar behauptet, daß der Wohnungsbau ab Mitte der fünfziger Jahre in Riesenschritten vorankam, aber ich habe noch nicht berichtet, wo und wie diese wichtige Stufe in der Nachkriegsentwicklung der Stadt vor sich ging und in welcher Tradition Frankfurts Wohnungsbau steht. Vielleicht weißt Du es noch: Die erste kleine Siedlung haben die Farbwerke Hoechst, damals noch Meister, Lucius & Co., bereits 1875 auf dem „Seeacker" angelegt. Es waren sechzehn Einfamilienhäuser mit Garten. Ab 1890 bauten die Farbwerke weitere 380 Kleinhäuser als Arbeiterheime. Die Siedlung bekam den Namen „Im Heimchen".
Zu Beginn des Jahrhunderts baute Cassella in Fechenheim Einfamilienhäuser für ihre Arbeiter. 1908 standen 300 solcher Häuser. Die frühesten Siedlungen in Frankfurt waren also von Arbeitgebern für Arbeitnehmer gebaut.
Für die zweite Siedlungswelle zwischen 1900 und 1920 zeichneten bereits Wohnungsbaugesellschaften und Versicherungsanstalten. Diesmal entstanden jedoch geschlossene Wohnblocks mit kleinen Grünplätzen inmitten. Sie wurden gebaut am Prüfling, an der Dorfelder Straße, an der Seckbacher Landstraße und im östlichen Teil des Riederwaldes. Diese aufgelockerten Wohnblocks mit Grünflächen und Buchten wurden nach dem 1. Weltkrieg durch die berühmt gewordenen Siedlungen abgelöst, die Ernst May in Hausen, Praunheim und in der Römerstadt errichtete. Sie gewannen Weltbedeutung wegen der überraschenden Funktionalität der Wohnungen und der Doppelzeilenbebauung, die May selbst als eine Revolutionierung der städtebaulichen Erschließung bezeichnet hat, ehe er später mit der Siedlung in Westhausen in Einzelreihenbauweise nochmals einen Akzent setzte, um sonnigere und ruhigere Wohnungen errichten zu können. Er verlegte die Verkehrsstraßen nach draußen und sicherte die Innenverbindungen durch Wohnwege. Das erstemal in der Welt wurde hier im Normverfahren gebaut. Die sogenannte „Frankfurter Küche", durchrationalisiert nach noch heute modernen Prinzipien, machte von sich reden, und schließlich ist hier, vor 1930 erstmals mit vorgefertigten Montageteilen gearbeitet worden. An den Siedlungen, die von 1920 bis 1933 gebaut worden sind, ist ersichtlich, daß im Grunde auch in Frankfurt das Dritte Reich nur weitergeführt hat, was die zwanziger Jahre an großartigen Ideen geboren hatten. Dazu gehört schließlich auch die Autobahn, deren erste Hauptlinie Hamburg–Frankfurt–Basel von den Ingenieuren der HAFRABA in Frankfurt schon 1932 projektreif gemacht worden war. Hier nun die Namen der Siedlungen der zwanziger Jahre: Römerstadt, Praunheim, Westhausen, Höhenblick, Hügelstraße, Miquelallee, Raimundstraße, Bornheimer Hang mit der vielgerühmten ersten Pavillonschule Europas, Riederwald-Ost, Gartensiedlung im Teller, Heimatsiedlung, Hellerhof, Engelsruhe, Kuhwald, Tarnow und Goldstein, alles heute geläufige Namen in Frankfurt.
Signalisierte das Experiment Römerstadt mit den Normierungs- und

Gartenhaus von Salins de Montfort im Grüneburgpark

Rationalisierungstendenzen eine Notlage, so läßt sich an damals geprägten Begriffen ablesen, wie diese Not nach 1933 anstieg. Goldstein ist noch als Versuch aus der Weimarer Zeit anzusehen, mit den Problemen der Arbeitslosigkeit fertig zu werden und billige Wohnungen zu schaffen, obwohl die Hauszinssteuer-Hypotheken damals schon nicht mehr bereitstanden. Parallel dazu finden sich Selbsthilfeaktionen wie Stadtrandsiedlungen aus Eisenbahnwagen an der verlängerten Orber Straße und an der Waldschulstraße in Griesheim. Von 1933 bis 1938/39 wurden folgende Siedlungen gebaut: Kleinsiedlung Hausen, „Einfachstsiedlung" Am Denisweg, „Einfachstsiedlung" Griesheim-Neufeld, die „Gefolgschaftssiedlungen" Bonameser Höhe, Gelasstraße, Sossenheim I und II, „Volkswohnungen" am Pflugpfad und an der Bonameser Höhe, Arbeiterwohnstätten Idsteiner Straße. Wohnblocks wurden errichtet in der Münzenberger Straße, in der Burgstraße, in der Homburger Straße. Am Marbachweg entstand eine Siedlung aus Wohnblocks und Einfamilienhäusern. Die Zahl der Eigenheimsiedler war gering – noch nicht fünfhundert Wohnungen. Sie entstanden am Hainerweg, in der Waldschulstraße, an der Festeburg, am Lindenhag.
Die ersten größeren Wohnungsbauprojekte nach dem letzten Krieg sollten die schlimmsten Wohnungsnöte lindern, und es waren wiederum Siedlungsbauten. Architekten und Städtebauer griffen zunächst auf die alten Ideen aus den zwanziger Jahren zurück. Man baute in Zeile, lockerte jedoch stark auf, legte die Zeilen nicht mehr in starren rechteckigen Formen an, sondern in Schwüngen, Kurven und Bögen. Zu den ersten denkwürdigen Siedlungsbauten nach dem Krieg gehören die vor

1950 errichteten zwei Bizonen-Siedlungen Frankfurter Berg und an der Mainzer Landstraße zwischen Marderweg und Lachgraben. Dann wurde die Dornbusch-Siedlung angelegt, für die zum erstenmal Läden und Handwerkerstätten eingeplant wurden, um frühere Versäumnisse in diesem Viertel auszugleichen. Ein achtgeschossiges Studentenhaus wurde gebaut, ein Kirchenzentrum, und das Haus Dornbusch bildete den Mittelpunkt des Viertels. In der Albert-Schweitzer-Siedlung, deren Blocks bereits in verschiedenen Höhen gebaut sind, wurden zum erstenmal Parkplätze und Garagen bereitgestellt. Die ständig wachsende Zahl der Autos hatte den Typ der Zeilen-Siedlung veralten lassen. Die Parkstreifen an den Straßen reichten nicht mehr aus. In Bonames, einem der jüngsten größeren Projekte mit geschlossenem Versorgungssystem (Läden, Turnhalle, Schule, Bank, Gemeinschaftshaus) beweist die Anlage gebündelter Hochhausform in verschieden hohen Gebäuden, daß man aus der als monoton empfundenen Zeilenbauweise herauskommen wollte. Was also noch vor wenigen Jahren mit Sossenheim-West, Taunusblick Zeilsheim, Fritz-Kissel-, Walter-Kolb-, Adolf-Miersch-, Heinrich-von-Stephan- und den amerikanischen Karl-Kirchner-, W.-Steuben- und Carl-Schurz-Siedlungen als vorbildlich aus der Zeit von Ernst May übernommen und verfeinert worden war, war nun durch das Auto und den neuen Geschmack überholt. Eine Ausnahme macht der Lerchesberg, eine Villensiedlung.
Gewissermaßen als Krönung dieser Siedlungsentwicklung wurde zu Beginn der sechziger Jahre „auf der grünen Wiese“ eine Trabantenstadt für 25 000 Menschen gebaut. Im Feld zwischen Praunheim, Heddernheim und Römerstadt entstand die „Nordweststadt“, in der Mischung von Wohnhochhaus, mittlerem Wohnblock und Bungalow, eine recht interessante Wohnhausfamilie mit gescheiter Straßenführung, aufgelockert, durchsichtig, in Schwüngen angelegt. Zu Beginn, als diese „Raumstadt“, von Walter Schwagenscheidt entworfen, Gestalt annahm, stellte sie sich als eine gute städtebauliche Lösung dar. Weniger günstig freilich war die Konzentration aller Läden auf zwei Zentren. Es entstand ein kleines und ein großes Einkaufszentrum mit Warenhäusern, kleineren Geschäften, Ladenstraßen und Restaurants. Zu diesem Zentrum rollen von allen Seiten die Frauen mit kleinen zweirädrigen Handkärrchen heran. Wer einen Zweitwagen besitzt, fährt mit dem Auto zu diesen Zentren. Soll etwa dadurch die sogenannte Kommunikation entstehen, frage ich mich. Wann entwickeln sich hier die vielzitierten mitmenschlichen Beziehungen?
Lieber Freund, wir haben natürlich mehrere solcher Trabantenstädte im Rhein-Main-Gebiet. Etwa die in Wiesbaden oder die Limesstadt bei Schwalbach am Taunus. Südlich des Mains hat sich die Siedlung Gravenbruch zu einer Satellitenstadt von Neu-Isenburg ausgewachsen. Vor einigen Jahren hörte ich einen Funkbericht von Professor Alexander Mitscherlich. Er ist der Leiter des Frankfurter Sigmund-Freud-Instituts und wurde 1969 mit dem Friedenspreis des Deutschen Buchhandels ausgezeichnet. Mitscherlich hat als Psychologe und Psychotherapeut die

Der Marshall-Brunnen am Opernplatz

Städte unserer Zeit und die Wohnungen unserer Tage unter die Lupe genommen, vor allem den Versuch gemacht, die Psychotherapie und die Soziologie in einer neuen Disziplin zusammen einzusetzen. Sozialpsychologie nennt er das neue Unternehmen des kritischen Geistes von heute. Er schrieb Bücher wie „Auf dem Weg zur vaterlosen Gesellschaft" und „Die Unwirtlichkeit unserer Städte, eine Anstiftung zum Unfrieden". Er schrieb vor allem über „Die Idee des Friedens und die menschliche Aggressivität". In jenem Radioessay kritisierte Mitscherlich die Trabantenstädte, beklagte ihre Eintönigkeit, die Uniformität der Häuser und Wohnungen, des Straßenbildes. Nach seiner Meinung können sich in solchen Raumstädten neue Aggressionen ausbilden.
Ich glaube, er hat recht. Solche Siedlungen mit aufgetürmten Wohnungen bieten nach der neuesten Erkenntnis nicht genügend Abwechslung. Sie haben zuwenig Reizwerte für Auge und Ohr, schaffen, wie die Soziologen sagen, nicht genügend „Lustgewinn". Mitscherlich vermißte die kleinen Läden mit Tabak und Schreibwaren, mit Viktualien. Er vermißte das kleine Café an der Ecke oder das kleine verrauchte Lokal. Der Weg zum Zentrum, wo ein paar Gaststätten warten, ist für den Fußgänger viel zu weit. Wer einen Wagen hat, will ihn nicht aus der Tiefgarage holen.
So bleibt man zu Hause und trinkt sein Bier vorm Fernseher und geht sich gegenseitig auf die Nerven. Gehen die Eltern nicht fort am Abend, können sich zu Hause die Kinder nicht austoben. Ist die kleine Kneipe nicht um die Ecke zu erreichen, kann Vater nicht mal die Tür hinter sich zuknallen, wenn er überreizt ist. Mutter kann am Nachmittag nicht zum Schwätzchen mit der Freundin ins Café gehen. Kurzum, sie hocken in den Schlafstädten aufeinander und öden sich an. Nach dem Stress im Beruf und im Straßenverkehr kommt der Stress durch die Familie.

Man kann nicht mehr „aussteigen". Moralisten, die die Gaststätte gern als Brutstätte verurteilen, sollten sich einmal die Gesetzessammlung des Frankfurter Rates aus dem Mittelalter ansehen. Sie läßt mühelos erkennen, daß unsere lieben Altvorderen sehr gern ins Wirtshaus gingen, um zu trinken und zu spielen und frei von der Leber weg über die Obrigkeit reden zu können. Immerhin mußte der Rat schon im 15. Jahrhundert die Polizeistunde einführen, wobei er sich durchaus im klaren darüber war, daß die Ventile bis zu einem gewissen Grad geöffnet sein mußten, damit die in den engen Stadtmauern eingepferchten Bewohner „Dampf ablassen" konnten.
Mitscherlich hat dieser Tage sogar mit seiner Warnung von damals recht bekommen. Eine Stadtverordnetenfraktion forderte besseren Polizeischutz für die Nordweststadt, denn dort rotten sich Jugendliche zusammen, beginnen zu randalieren und die Bewohner in den von der Straße abgelegenen Wohnblocks zu belästigen. Sie haben nicht genügend Abwechslung und verschaffen sich den Außenreiz durch Herausforderung der Erwachsenenwelt; eine neue Aggression also keimt auf. Im Zusammenhang mit diesen Betonlandschaften, die überall aufgewachsen sind, ist die Bemerkung eines Siebzehnjährigen interessant. Er sagte eines Tages in der Nordweststadt zu seinem Vater, es sei alles sehr schön in der neuen Stadt, die Wohnungen sauber, gut beheizt, hygienisch in Ordnung. Und er fuhr fort: „Ihr habt nur eines vergessen: Die Knutschecken." Wie Du siehst, hatten die gute alte Dorflinde und die Anlagenbänke eben doch eine echte gesellschaftspolitische Funktion. Selbst das Autokino kann solche verschwiegenen, heimlichen Winkel nicht ersetzen. Es gibt noch mehr Kritik an den neuen Städten, insofern sie im wesentlichen aus Wohnhochhäusern bestehen. Ärzte und Psychologen haben die Erfahrung gemacht, daß in den Wohnhochhäusern neue, der Großstadt zugehörige, der Betonwelt zuzuschreibende Krankheiten entstanden sind, die sogenannten Feuerphobien und Höhenphobien. In diesen modernen Ängsten spiegeln sich Neurosen unserer Zeit. Junge Mütter bekommen in Hochhäusern – nach den medizinischen Berichten – Mutterneurosen, denn vom zehnten Stock aus ist ihr Kind unten auf dem Spielplatz nicht mehr kontrollierbar. Die Sorge bringt viele Frauen dann rasch dazu, ihre Kinder in der Wohnung spielen zu lassen. Dort aber können sich die Kleinen nicht austoben. Kinder-Neurosen sind das Resultat. Wir haben, so meinen die Mediziner, in diesem Punkt noch längst nicht alle Erkenntnisse gesammelt. Stadtplaner, Architekten und vor allem die großen Wohnungsbaugesellschaften, die zumeist solche Hochhausprojekte planen und durchführen, sollten in Zukunft etwas mehr Kontakt zur Wissenschaft halten und versuchen, die soziologischen Folgen ihres Tuns vorauszukalkulieren, statt diese Riesengebirge aus normierten Wohnungen zu erstellen.
Freilich, lieber Fred, nicht alle Bewohner der Wohnhochhäuser in der Nordweststadt, der Limesstadt oder im Gravenbruch fühlen sich eingeengt, bedroht, gestört. Ältere Ehepaare genießen sehr oft die ruhige Lage. Vor allem scheinen jüngere Ehepaare ohne Kinder recht zufrieden mit

ihrem neuen Heim im 15. Stock. Man kann also kein abwertendes Pauschalurteil fällen. Jedoch die Fachleute haben inzwischen eigene Erkenntnisse formuliert. Als beispielsweise die geschilderte Nordweststadt bezogen war, gab die Stadt Frankfurt ein Buch heraus mit dem Titel „Stadt in der Entwicklung". Der vormalige Stadtplaner Erhard Weiß, sein Nachfolger Hans-Rainer Müller-Raemisch und Joachim Peter, der Leiter des Presse- und Informationsamtes der Stadt Frankfurt, haben den Text geschrieben. Wenn es auch in einer Passage um eine rückschauende Betrachtung geht, so scheinen mir doch Erkenntnisse eingeflossen zu sein, die heute interessant zu lesen sind. Es heißt unter anderem: „Den heute oft schon geschmähten Wohnsiedlungen aus der Zeit etwa zwischen 1946 bis 1957, die städtebaulich im Sinne der zwanziger Jahre mit ihren strengen Zeilen arbeiten und sich oft etwas eintönig darbieten, wird in einigen Jahren wieder Gerechtigkeit zuteil werden. Die nun schon ansehnliche Baumbepflanzung wird bald mit drei- und viergeschossigen Baukörpern konkurrieren und die etwas schematischen Siedlungsformen mildern und ergänzen können. Wo solche Siedlungen locker genug gebaut sind, wird sich auch die Heilung der heute viel beklagten Wohnmonokulturen durch Einfügen von Ladenzeilen und die Milderung des Parkierungsproblems durch Garagenbauten erreichen lassen."
Du siehst, wir haben Sorgen mit unseren Städten. Unverständlich bleibt dabei, daß wir nicht von Amerika, Deiner neuen Heimat, gelernt haben. Die Cities Eurer Großstädte verslumen, weil die Bürokonzentration die Bewohner vertreibt; Lärm, Smog und Kriminalität machen die Innenstädte unwirtlich, unbewohnbar. Das ist kein Phänomen von heute, sondern hat sich gestern schon vorbereitet. Hätte man hierzulande daraus nicht lernen müssen, daß man Wohnviertel, wie das Westend zum Beispiel, nicht zerstören darf? Henry Millers Schilderungen von New York haben die Welt aufgerührt: „Der Vorgang der Entartung verläuft schneller, als der der Erneuerung." Immerhin erschien Millers Beschreibung schon vor Jahren. Welche Einsichten er doch vermittelt: „Man staunt wirklich, wie dieses Babel der modernen Welt jemals für menschliche Wesen wohnlich gemacht werden kann. Es genügt nicht, die Slums niederzureißen oder jeden verarmten Bürger auf Almosen zu setzen; man muß einen neuen Menschen zeugen, einen neuen Geist eingießen, neues Blut in diese verdutzten armen Teufel. Man kann keine Modellstadt bauen ohne Modellbürger. Wo bekommen wir sie her? – All die berühmten verschwundenen Weltstädte von einst bargen in sich den Keim der eigenen Zerstörung. Der wahre Feind ist stets der Feind im Innern."
Nun ist Frankfurt noch kein solches Babel wie New York oder Tokio, aber die Ansätze sind vorhanden. Erst kürzlich haben wir hier mit der Siedlung auf dem Atzelberg in Seckbach ein meiner Ansicht nach neues Modell verunglückter Planung bekommen. Die Häuser hocken am Hang und sehen aus wie ein versteinerter Wald. Aber auch die Innenstadt mit der Zeil, dem Roßmarkt, der Kaiserstraße und dem Geviert um die Hauptwache, deren Wiederaufbau die Bürger nur in heftigen Protesten erreicht haben,

ist ein Alptraum in der Nacht. Die City ist dann menschenleer. Es gibt dort nur noch Geschäfte und Büros. Am Tag tobt sich der Verkehr aus. Die Hauptwache ist ein tosendes Karussell geworden. Der Fußgänger muß durch eine Ebene des großen U-Bahnhofes, der 1968 eröffnet worden ist, unterirdisch den Platz durchqueren, will er die anderen Straßenseiten erreichen.
Bald wird sich entscheiden, wie der große schöne Platz der ehemaligen Altstadt gestaltet werden soll. Es ist Schlimmes zu befürchten. Was in Frankfurt und auch in anderen deutschen Städten vor sich geht, nennt der Stadtplaner „Entmischung". Zur Zeit ist hier im Amerikahaus eine Ausstellung zu sehen. Sie zeigt an Modellen, Plänen und Fotos, wie sich in den USA eine neue Architektengeneration die Stadtsanierung vorstellt. Da wird nicht mehr entmischt, da wird vielmehr kräftig gemischt. Büroblocks, kleinere lärmfreie und geruchsfreie Industriebetriebe, kleine Einkaufszentren, Schwimmbäder, Turnhallen, Schulen und Wohnblocks sind in einer homogenen Gruppe einander zugeordnet. Die innere Struktur derartiger Ansiedlungen entspricht einem großen Dorf mit Industriegebiet und guter Infrastruktur; natürlich modern gebaut, aber in menschlichem Maß.
Eine solche Chance hat freilich Frankfurt auch noch. Am Heiligenstock – dem Gebiet zwischen Friedberger Warte und Vilbel – soll gebaut werden. Man spricht von einer Großsiedlung mit 80 000 Menschen. Nur so ist es noch möglich, wieder Einwohner für die Stadt zu bekommen. Sollte wirklich eines Tages der Finanzminister sich durchsetzen und einen noch höheren Anteil der Gewerbesteuer an Land und Bund abziehen, würden die Lohn- und Einkommensteuer als Einnahmequelle für die Gemeinden weiter an Bedeutung gewinnen. Diese Steuern aber – ich schrieb Dir schon einmal darüber – gewinnt man nur von der Wohnbevölkerung. Nun scheint es, man wolle die Großsiedlung am Heiligenstock in jenem Mischverhältnis von Leben und Arbeiten, Einkaufen und Freizeitgestaltung anlegen, das die erwähnte Ausstellung mit Beispielen des modernen Städtebaues in den USA gezeigt hat. An Parolen zu einer humaneren Stadtgestaltung hat es übrigens auch in Frankfurt nicht gefehlt. In der schon zitierten Veröffentlichung des Jahres 1967 hieß es unter anderem: „Ein eigenes Gesicht aber ist den Stadtteilen von heute notwendig wie noch nie. Wie sollte sich sonst so etwas wie Zugehörigkeitsgefühl zu einem Stadtquartier bilden. Es scheint nicht wahr zu sein, daß die technischen Möglichkeiten des Verkehrs und der Massenkommunikationsmittel die persönlichen Kontakte der Nachbarschaft voll ersetzen können. Nichts ermüdet den menschlichen Geist schneller als mechanistische Perfektion und nichts braucht er mehr als Reflexion seines Lebens in seinem Mitmenschen. Die Erkenntnis des Menschen als ‚zoon politicon', als ein der Gemeinschaft bedürftiges Lebewesen, wird nach dem ersten Rausch der technischen Möglichkeiten bald zurückkehren. Die Stadt wird gut beraten sein, die dann ihren Bürgern überschaubare ‚Stadtteile mit eigenem Gesicht' anzubieten vermag." – Werden diese Sätze nur „Papier" bleiben?

Wandelhalle der Städtischen Bühnen mit den Deckenskulpturen von Zoltan Kemeny.

Foto-Standort Universitätshochhaus: Die Kamera erfaßt im Vordergrund das Westend mit seinen Hochhäusern.

Dahinter die in die Wolken zielende neue Stadtlandschaft.

Eine gemütliche Ecke Frankfurts: Die Taunusanlage.

Lieber Fred, mit Erstaunen habe ich in einer Schrift, die „Architekt und Ingenieur" heißt und aus dem September 1967 stammt, gelesen, daß Stadtplaner Müller-Raemisch einen Artikel geschrieben hat mit dem Titel „Hochhäuser in der Stadtplanung". Er sagt da unter anderem: „Zur Frage der Wirtschaftlichkeit in der Ausnutzung eines Hochhauses gegenüber einem 5- bis 6-geschossigen Flachbau ist festzustellen, daß diese in der Regel nur eine scheinbare ist. Die Geschoßflächenzahl, das ist das Verhältnis von Bruttonutzfläche zur Grundstücksgröße, muß aus den verschiedensten Gründen, wie den erforderlichen Abständen zu anderen Gebäuden, von der Bauaufsicht und der Stadtplanung sowieso nach oben begrenzt werden. Wenn man bedenkt, daß mit zunehmender Gebäudehöhe ein immer größeres Maß an innerer Verkehrsfläche für Fahrstühle, Treppen, Nebenräume usw. entsteht, stellt sich die Wirtschaftlichkeit des Hochhauses als Bauform alsbald selbst in Frage. Sie ist also eigentlich nur bei sehr hohen Bodenpreisen, wie den erforderlichen Abständen zu anderen Gebäuden, von einer etwas höheren Nutzung als sie sonst üblicherweise gegeben wird, anzunehmen." Er schreibt weiter: „Die Vermutung, daß Hochhäuser bisweilen aus anderen als nur wirtschaftlichen, nämlich repräsentativen Gründen gebaut werden, ist also keineswegs auszuschließen."

Wenn wir diese Behauptung genau überlegen, kommen wir eigentlich zu der Überzeugung, daß – wie es Müller-Raemisch an einer anderen Stelle sagt – das Hochhaus einem Statusdenken gehorcht, das heißt, im Grunde nicht nötig ist, weil man die gleiche Geschoßfläche in niedrigerer Bauweise auch bekommen kann. Mir fällt dabei zum Beispiel das alte Verwaltungsgebäude der IG-Farben am Grüneburgpark ein, das Hans Poelzig 1930 gebaut hat. Kalkuliert man also selbst ein, daß in der City oder in Citynähe des knappen Raumes und der hohen Grundstückspreise wegen die Geschoßflächenzahl auf 20, 25 oder 30 steigen muß, um eine gewisse Rentabilität des Gebäudes zu erreichen, so ist im Gegensatz dazu kaum einzusehen, warum am Stadtrand überhaupt Häuser über fünf bis sechs Geschosse hinaus gebaut worden sind und noch gebaut werden. Der Schluß liegt noch einmal nahe, daß es sich wirklich hier um ein Statusdenken handelt, um eine Hochhaus-Ideologie. Im Grunde also kann man die gleiche Menge Einwohner auf der gleichen Grundfläche in fünf- bis sechsgeschossigen Bauten unterbringen wie in Hochhäusern, die ihrer Struktur nach für Licht und Sonne große Abstände benötigen. Wenn die Bebauungspläne für den Heiligenstock aus den Schubladen kommen, werden wir sehen, ob die Stadtplanung aus Müller-Raemischs Einsichten Erkenntnisse gewonnen hat. Die Zeichen für das Wohnen in den obersten Geschossen von Wohnhochhäusern jedenfalls stehen nicht gut. Gerade kommt aus Australien die Nachricht, daß ein Viertel aller Patienten psychiatrischer Kliniken in Hochhäusern wohnt und nun an seelischen Störungen leidet, an Schlafmangel und Appetitlosigkeit. Ich glaube, wir müssen noch viel lernen.

Für heute leb wohl.

Dein Heinrich

Frankfurt am Main, den 17. November 1970

Gern lassen wir uns nicht daran erinnern, daß wir in Frankfurt schon einmal den Mörtel für die Träume, eine echte Hauptstadt zu werden, gemischt hatten. Lieber Fred, Du hast mit Deiner Frage im letzten Brief an eine Wunde gerührt, die zum Glück längst überwachsen ist und nur hin und wieder noch weh tut, wenn jemand danach fragt. Immerhin haben wir 1949 an der Bertramswiese, rechts der Eschersheimer Landstraße, bereits das Gebäude für den Plenarsaal fertig gehabt. Es ist ein Rundbau, der noch heute steht. Der Hessische Rundfunk hat dort später sein Domizil gefunden.
Frankfurt war laut Verordnung der Amerikanischen Militärregierung seit 16. Juni 1947 Sitz des Wirtschafts- und Exekutivrates der amerikanischen und englischen Zone. Wir nannten diese Konstruktion „Bizone". Später kam die französisch besetzte Zone noch hinzu. Ein Karnevalsschlager hat dieser Hilfskonstruktion auf dem Wege vom Untergang des Dritten Reiches in die Bundesrepublik zum Ruhm verholfen. Alles Land, das diesseits des Grenzzaunes zur damaligen Ostzone lag, hieß im Volksmund „Trizonesien". Der Schlager begann: „Wir sind die Eingeborenen von Trizonesien". Wir haben ihn damals mit Begeisterung gesungen, denn „Trizonesien" war der erste, den einzelnen Ländern übergeordnete „Staatsbegriff" der Nachkriegszeit. Es scheint ein Gesetz der Weltgeschichte zu sein, daß kein Staat beginnen kann, ehe nicht eine Wirtschaftsstruktur die Grundlage für eine Gemeinsamkeit gelegt hat. Ehe die Staatsgründung „Bundesrepublik" überhaupt in Frage kommen konnte, mußte es einen Vorläufer geben, der ganz einfach „Vereinigte Wirtschaftsgebiete" hieß und alles Land zwischen Elbe und Rhein, Bayerischem Wald und Alpenvorland meinte, das die westlichen Alliierten besetzt hielten. Für die zukünftige „Bundesrepublik" auf der Basis dieses „Vereinigten Wirtschaftsgebietes" war ein Grundgesetz ausgearbeitet worden. Es fußte auf den Maximen der Nationalversammlung von 1848 und den Grundrechten der Weimarer Republik. Artikel 132 dieses Grundgesetzes für die Bundesrepublik besagt, daß die zukünftige Republik in die Rechte und Pflichten des „Vereinigten Wirtschaftsgebietes" einzutreten habe. Und da nun alle wichtigen Verwaltungsgremien des Wirtschaftsgebietes in Frankfurt saßen, nahm alle Welt – natürlich auch wir – an, Frankfurt würde nun endlich aus der jahrhundertealten Situation der „heimlichen Hauptstadt" heraustreten und zumindest die provisorische Hauptstadt der Bundesrepublik werden. Immerhin glaubten ja damals noch viele an ein wiedervereinigtes Deutschland mit der Hauptstadt Berlin.
Frankfurt durfte sich in jenen Tagen jedenfalls die Hoffnung machen, diese provisorische Hauptstadt der neuen Republik in Westdeutschland zu werden. Wir begannen mit den Vorbereitungen. Als Plenarsaal für den Bundestag wurde der genannte Rundbau am Dornbusch vorgesehen, wir nannten das Gebäude „Kolbs Badewanne", weil der OB so beleibt war. Das Strauß-Haus an der Börsenstraße 2 – es war im Dritten

Nebbien'sches Gartenhaus in der Bockenheimer Anlage

Reich das Gauleiterhaus – war für den Bundesrat und für das Innenministerium bestimmt. Im Cassella-Haus sollte das Bundeskanzleramt unterkommen und im Bad Homburger Schloß hätte der Bundespräsident residieren können. Das Haus der Länder, bis dahin Sitz bizonaler Behörden, war zum Empfangsgebäude des Bundesrates auserkoren. Eine Kaserne in Höchst sollte die Ministerien Wirtschaft und Arbeit aufnehmen, die AOK in Offenbach das Verkehrsministerium. Das Gebäude mit dem Café Rumpelmayer war dem Postministerium vorbehalten. Kurzum, es gab keine Bundesbehörde, die nicht hätte in Frankfurt unterkommen können. Ein besonderes Bauprogramm sorgte dafür. Es standen rund 3500 Büro- und Verwaltungsräume zur Verfügung. Insgesamt waren das 38 000

Quadratmeter Bürofläche und dazu noch entsprechende Wohnungen für die Beamten und Angestellten dieser Behörde. Kein Zweifel, lieber Fred, eine gewaltige Leistung der Stadt Frankfurt in jenen Tagen, in denen der Schutt noch zu Haufen lag und die Bevölkerung zusammengepfercht wohnte.

Mehr als ein Jahr wurde heftig in allen Ländern, allen Städten darüber diskutiert, ob Frankfurt zum Sitz der Bundesregierung erkoren werden solle oder nicht. Ein Parlamentarischer Rat war entstanden, der unter anderem auch diese Frage in einer Vorentscheidung für den ersten Bundestagsbeschluß klären sollte. Immer mehr setzte sich die Vorstellung von Konrad Adenauer, damaliger Parteivorsitzender der Christlich Demokratischen Union, durch. Adenauer, der Rheinländer und einstige Oberbürgermeister von Köln, wollte Bonn als neue Hauptstadt sehen. Der Parlamentarische Rat entschied sich am 1. September 1948 mit 33 gegen 29 Stimmen für Bonn. In den Zeitungen dieser bedeutungsschweren Tage ist nachzulesen, daß die erste gute Stunde der deutschen Demokratie durch Manipulationen getrübt worden sein soll. Die Zeitungen von damals behaupten, Adenauers Partei habe die Entscheidung gegen Frankfurt durch einen Trick beeinflußt. Irgend jemand, keiner weiß bis heute wer, lancierte vor der Abstimmung des Parlamentarischen Rates eine Ente in die Zeitungen. Sie besagte, der Oppositionsführer Dr. Kurt Schumacher, ein energischer Mann der Sozialdemokraten, habe behauptet, wenn die Abstimmung für Frankfurt ausginge, sei das ein sicherer Sieg der SPD. Als das in den Zeitungen stand, waren auch die Frankfurt wohlgeneigten hessischen CDU-Parlamentarier böse und stimmten für Bonn.

Hinterher wurde behauptet, man habe so abgestimmt, weil die Gefahr bestanden hätte, Frankfurt würde später nicht mehr zu Gunsten Berlins auf die Hauptstadt-Rolle verzichten. Das mußt Du nicht glauben, mein Freund. Frankfurt war es nur darum gegangen, in diesem ersten Augenblick dem neuen westdeutschen Staat als Zentrum zu dienen, solange dieses erforderlich war. Wie Du Dir denken kannst, fiel dann schließlich auch die endgültige Bundestagsabstimmung am 3. Februar 1949 für Bonn aus. Das große politische Geschehen in der Bundesrepublik will ich hier nicht weiter kommentieren, Du fragtest mich ja nach Frankfurt. Soviel vielleicht nur: Es war sicher richtig, daß ein großer Staatsmann wie Adenauer zunächst etwas aufbaute, das kluge Leute als hierarchisch orientierte Demokratie bezeichnet haben. Die junge Generation, die von diesem Aufbau profitierte, wandte sich später gegen solchen noch hierarchisch orientierten Regierungsstil. Die „Außerparlamentarische Opposition" entwickelte sich. Das Zünglein an der Waage – viele haben es inzwischen vergessen – war die Tatsache, daß durchsickerte, die Regierung habe sogenannte „Schubladengesetze" vorbereitet. Es waren Gesetze, die bei einem eventuellen Notstand den Staat und die Bürger schützen sollten. Da sie aber im herrischen Alleingang von der Beamtenwelt in Bonn entworfen worden waren, fühlten sich nicht nur die jungen Leute plötzlich reglementiert. Ein Grundsatz der Demokratie war verletzt: Der Bürger war einfach nicht mit in die

Rathaus-Bauten in der Braubachstraße

Vorentscheidung einbezogen worden. Es ist nicht zu leugnen, neben Berlin, Hamburg, München und Hannover war es vor allem Frankfurt, in dessen Straßen sich dann der Kampf zwischen zwei Generationen am heftigsten ausgetobt hat.
Die Situation ist historisch denkwürdig. Die Christdemokraten haben wohl im Februar 1949 Frankfurt auch wegen der großartigen Mittelpunktslage und wegen der in allen Jahrhunderten im demokratischen Sinne brisanten Bevölkerung abgelehnt. Alte separative Rheinlandversuchungen, denen im Mittelalter die Mainzer, Kölner und Trierer Erzbischöfe erlegen sind, mögen eine Rolle gespielt haben. Aus dieser Mittelpunktslage Frankfurts bezog die außerparlamentarische Opposition eine besondere Dynamik. Leider ist später die Bewegung gegen die „Schubladengesetze", die sich nach erregten Diskussionen in wenigstens einigermaßen erträgliche „Notstandsgesetze" verwandelt haben, auch hier in Frankfurt besonders entartet. Freilich zerbröckelte der damalige „Sozialistische Deutsche Studentenbund", ein Träger der außerparlamentarischen Opposition, allmählich. In die Lücke allerdings stießen neomarxistische Kräfte vor, junge Leute, die auf Marx, Lenin oder auf Mao schwören, mit dem Ziel, hier ein sozialistisches Staatswesen zu formen, und sei es mit Gewalt.
Lieber Fred, dieser kleine Ausflug in die große Politik war notwendig, um Frankfurts Lage in dieser Zeit besser darstellen zu können. In dieser Stadt drängt noch heute eine starke Gruppe nach Sozialismus als Gesellschaftssystem. Neben den genannten linksradikalen Gruppen tendieren auch Teile der Jungsozialisten zu sozialistischen Staatsformen und versuchen, Druck auf die Väter in der Partei auszuüben.
Noch heute nutzen die Radikalen in unserer Stadt jede Gelegenheit aus,

um zu demonstrieren. Viele Bürger sehen dem Schauspiel mit Unwillen und mit Besorgnis zu und fragen sich, wieviel Freiheit der Magistrat und seine Polizei eigentlich den zerstörerischen Elementen noch lassen wollen. Es scheint, als glaubten die Linksradikalen, Frankfurt zu ihrer heimlichen Hauptstadt machen zu können. Beim Stichwort „Heimliche Hauptstadt" fällt mir eben ein, daß in der Frankfurter Pfalz bereits 856 Lothar II. zum König des karolingischen Mittelreiches Lotharingen erhoben worden ist. 887 wurde hier Arnulf von Kärnten zum deutschen König gekrönt. Seitdem sind insgesamt 52 Könige in Frankfurt gewählt oder gekrönt worden. Frankfurt, ein Ort auf fränkischer Erde, wurde dem Stammesbrauch der Franken nach zum bevorzugten Wahlort des Mittelalters. Die Goldene Bulle von 1356 wurde schließlich die gesetzliche Grundlage dafür. Schon Ludwig der Deutsche, den man den Gründer des Reiches nennen kann, hat Frankfurt im Jahre 843 zur „Hauptstadt des ostfränkischen Königreiches" erklärt. In der großen Zeit der Staufer spielte Frankfurt eine gewichtige Rolle als Mittelpunkt des alten Königslandes an Rhein und Main, eine Zentrale im heftigen Kampf der alten Königsmacht gegen die aufsteigenden Territorialherren. Mit der Messefreiheit stieg dann die Stadt zu einer Wirtschaftsmetropole des Reiches auf. Die Reichsversammlungen, die in Frankfurts Mauern tagten, waren immer wesentliche Fixpunkte im geschichtlichen Ablauf des Reiches. Berühmt ist unter anderem der „Frankfurter Reichslandfrieden" von 1442. Schließlich war diese Stadt einmal ausersehen, die Zentrale der Reichsfinanzen zu werden. 1495 zogen sechs Reichsschatzminister in Frankfurt ein, um hier in einer Art von frühem Reichsfinanzamt für einige Jahre den „Gemeinen Pfennig", eine Reichssteuer, einzuziehen. Im gleichen Jahr wurde Frankfurt durch König Maximilian zum Sitz des Reichskammergerichtes bestimmt, das 1527 nach Speyer umzog und dann nach Wetzlar verlegt wurde, wo bekanntlich der junge Lizenziat Johann Wolfgang Goethe tätig war. Diese Stadt war von Maximilian ausersehen worden, jährlich einem „Reform-Reichstag" Quartier zu bieten. Zu diesem Reichstag freilich kam es nie, weil die Gegensätze Hohenzollern und Habsburg des Königs Pläne zerstörten. Von da an wurde Frankfurt eine „heimliche Hauptstadt". Bereits 1585 wurde im „Haus Braunfels" die erste Frankfurter Börse eröffnet. Frankfurt entwickelte sich zur bedeutenden Bankenstadt und blieb es bis 1866.

Ich will Dich noch erinnern an Frankfurt als den Sitz des „Deutschen Bundes", an das Frankfurt der Paulskirchenzeit, an das Frankfurt des ersten Deutschen Turnfestes, des ersten Deutschen Sängerfestes, schließlich an Frankfurt als den ersten großen Eisenbahnknotenpunkt des gesamten mittelrheinisch-mainischen Raumes. Vergessen sei nicht der „Fürstentag" von 1863 und Frankfurts Rolle in der aufstrebenden Industriewelt mit der ersten Internationalen Elektrotechnischen Ausstellung von 1891 und der gewaltigen Internationalen Luftfahrt-Ausstellung von 1909; sie dauerte vom 10. Juli bis zum 10. Oktober. Abgedrängt zwar vom internationalen Bankwesen durch Berlin, zur preußischen Kreisstadt herabgesunken, hielt sich Frankfurt doch weiter an der Spitze und brillierte sogar in den

finanzschwachen Jahren zwischen den beiden Weltkriegen mit einem „Internationalen Musikfest“, das der Welt ein großartiges Beispiel bot.
Lieber Freund, über den Krieg laß uns schweigen. Du weißt dies alles. Du hast Kenntnis von den Opfern, die die jüdischen Bürger dieser Stadt dem Hitlerterror bringen mußten. Es sind Wunden, die noch heute schmerzen, wenngleich gerade hier wieder zahlreiche deutsche Juden, die emigriert waren, ansässig wurden. Frankfurt hat, laß mich dies im Zusammenhang noch erwähnen, sehr früh Versöhnungswünsche gehabt. Frau Rita Bockelmann, Gattin des verstorbenen Oberbürgermeisters, gründete eine Jugendhilfsorganisation für Israel. Frankfurter Banken und Bürger haben 1964 für das Geographische Institut an der Universität Jerusalem (Franz-Oppenheimer-Institut) und 1967 für das Wirtschafts- und Sozialwissenschaftliche Institut an der Universität Tel Aviv (Fritz-Naphtali-Institut) gestiftet. In Frankfurt ist vor Jahren eine Anleihe für den Aufbau des Staates Israel aufgelegt worden. Das knüpfte an die Tradition in dieser Stadt an, deren Banken in den Jahren 1861 bis 1865 mehrere große Anleihen als Hilfe für die Nordstaaten im Bruderkrieg Amerikas auflegten.
Lieber Fred, im Augenblick ließe sich Frankfurts Lage so beschreiben: Die Mittelpunktsstadt des alten Deutschen Reiches, eine Stadt, die nach dem zweiten Weltkrieg als Sitz der Organe des Vereinigten Wirtschaftsgebietes eine bedeutende Rolle spielte, die Stadt, die beinahe die Hauptstadt der Bundesrepublik geworden wäre, hat ihre Zukunft und ihre Bedeutung als heimliche Hauptstadt noch einmal dadurch gewonnen, daß sie nach der Enttäuschung von 1949 energisch die Weichen stellte und den Blick der Weltwirtschaft auf sich zog. Zu berichten, wie diese Weltwirtschaft sich hier etabliert hat, ist allerdings heute nicht mehr Zeit genug. Ich hole es nach. Gute Grüße für Dich und die Deinen.

Dein Heinrich

Frankfurt am Main, den 9. Januar 1971

Lieber Fred, neulich habe ich einen Dokumentarfilm über Frankfurt aus dem Jahre 1952 gesehen. Das Stadtbild dieser Zeit zeigte noch viele Trümmer und Ruinen. Dennoch herrschte bereits ein „toller Autoverkehr“ – dies jedenfalls war im Film das Urteil eines Mannes, der am Lenkrad eines alten Opels saß. Er sagte, es sei ja nicht durch die Stadt zu kommen, alle paar Minuten müsse man anhalten. Wenn jener Fahrer heute noch einmal über die Zeil, an der Hauptwache vorbeikäme, hätte er nichts zu lachen. Er würde sich im Rückblick auf 1952 an geradezu paradiesische Zeiten erinnern. Freilich, so paradiesisch wie 1923, als die erste Zählung in Frankfurt vorgenommen wurde, war es nun doch wieder nicht. In jenem Jahr hatten wir in der Stadt 1741 Personenkraftfahrzeuge. Die Zahl stieg

kontinuierlich durch die Goldenen Zwanziger bis 1939, zu Kriegsbeginn, auf 18 542. Dazu kamen 11 226 Krafträder. Die Kriegsjahre haben dann fast alle motorisierten Fahrzeuge aus der Stadt gefegt. Du erinnerst Dich, daß damals Privatfahrzeuge „eingezogen“ wurden.
Es gibt da skurrile Zahlen: Ende 1946 zählte man in Frankfurt 1680 Personenwagen, also noch 61 weniger als 1923. Die Kurve kletterte dann mühsam bis Ende 1948 auf 3777 Pkw, während die Zahl der Lastkraftwagen schon wieder auf 6105 angestiegen war; ein Beweis mehr für die Wichtigkeit der Lastkraftwagen für die Wirtschaft. Mit geradezu hexenhafter Schnelligkeit zog freilich die Verkehrskurve in den nächsten Jahren nach oben. 1950 rollten schon 14 594 Frankfurter Pkw und 7941 Lkw über die Straßen. In diesem Jahr 1952, als der Fahrer in dem Dokumentarfilm über die „drangvolle Enge“ stöhnte, gab es 22 228 Pkw und 8581 Lkw. Hinzu kamen noch 15 291 Krafträder. Es war die Zeit, da die Motorroller in Mode kamen. Die Statistik ist wahrlich erstaunlich: Im Jahre 1970 waren in Frankfurt 194 983 Personenwagen angemeldet, eine atemberaubende Zahl; dagegen waren nur 1916 Motorräder registriert. Schon daran erkennst Du die Entwicklung zum Wirtschaftswunder. Im Verhältnis zum Personenwagen sind die 18 405 Lastkraftwagen im Jahre 1970 kaum erwähnenswert. Rechnest Du alles zusammen, fuhren 1970 insgesamt 215 304 Kraftfahrzeuge in Frankfurt. Wenn man die Pkw pro Kopf der Bevölkerung umrechnet, kamen 1950 auf 36 Einwohner 1 Pkw, 1955 auf 15 Personen ein Pkw, und zur Zeit besitzt beinahe jeder dritte Einwohner in Frankfurt einen Pkw.
Lieber Fred, vielleicht würden wir ja mit unserem eigenen Fahrzeugbestand noch halbwegs in den Straßen zurechtkommen. Aber von den 486 498 Menschen, die jetzt in Frankfurt arbeiten, kommen 208 000 von auswärts. Viele kommen mit der Eisenbahn aus den Vororten, aus dem Taunus, von Limburg oder aus dem südlichen Maingebiet um Neu-Isenburg, Sprendlingen, Langen, aus Offenbach und Umgebung. Mancher kommt mit dem Bus, wenn eine entsprechende Linie vorhanden ist. Aus Oberursel oder Bad Homburg bringt sie die gute alte Straßenbahn heran. Schätzungsweise 90 000 jedoch benutzen das eigene Auto. Mit diesem kommen sie am Morgen, stellen es für den ganzen Tag am Bürgersteig ab und fahren am Abend wieder heim. Rechnen wir die Pendlerautos zu den hier angemeldeten hinzu, haben wir mehr als 300 000 Fahrzeuge tagsüber in der Stadt. Jetzt brauchst Du nur noch all jene dazuzuzählen, die täglich Frankfurt durchfahren – umsonst heißt diese Stadt ja nicht „Straßenkreuz Europas“ –, und Du kennst unseren ganzen Kummer.
Zu Messezeiten kann man sogar mit etwa 400 000 Fahrzeugen rechnen. Jeden Tag rollt eine endlose Flut durch die Straßen. Wenn es regnet oder neblig ist, benötigt man unter Umständen eine Stunde Fahrzeit von der Hauptwache bis zur Galluswarte oder vom Bahnhof bis nach Heddernheim.
In dem feuilletonistischen Vorwort zu einem Bildband heißt es über Frankfurt und den Verkehr: „Ein Ungeheuer krallt sich breit in die Senke des Flusses Main. Nervös jagen die Ströme beräderter Menschen durch

Blick in die Neue Mainzer Straße

seine Adern und drängeln sich um die großen Löcher herum, wo es seine vertrauten kleinen Schuppen abwirft und sich einen Panzer aus langen weißen Stacheln anlegt oder in die Tiefe verbannt, was es auf seiner Haut nicht mehr leiden kann. An seinem westlichen Ende speit es das Feuer und den Rauch der Chemie aus seinen Nüstern, an seinem östlichen Ende ebenfalls. Wohntürme im Norden, ein Bahnhof für die derzeit größten Passagierflugzeuge im Süden (schließlich landet der Jumbo noch nicht überall)." Ein zutreffendes und fast böses Gemälde aus Worten, aber es ist nicht zu ändern, und es stimmt. Frankfurt ist so, lieber Fred. Heute noch! Vielleicht müssen wir in wenigen Jahren die Innenstadt, die wir jetzt mit Millionen Mark ausbauen, für den Fahrzeugverkehr ganz sperren.
Es wäre ein Segen für den Menschen, für den Fußgänger. Nur müßte man dafür sorgen, daß die Einkaufsfunktion der City erhalten bleibt, sonst sind wiederum die Steuereinnahmen nicht hoch genug, um den Schuldenberg abzutragen, der durch den Ausbau entstanden ist.
Wir hoffen, daß der Bau weiterer U-Bahn- und S-Bahnstrecken die Menschheit animieren wird, das Auto zuhause zu lassen. Seit Jahren versuchen wir der Hydra Verkehr beizukommen. Wir haben zunächst Kreisel gebaut, die sich aber bald alle als zu klein erwiesen. Alle zwei Jahre stand Frankfurt erneut vor dem Kollaps. Dann hatte Oberbürgermeister Werner Bockelmann den Mut, Magistrat und Stadtverordneten das Startzeichen für den U-Bahnbau zu geben. Am 28. Juni 1963 wurde mit

dem Bau der ersten Strecke begonnen, die von der Hauptwache durch die Große Eschenheimer Straße zum Dornbusch hinaufführt. Bockelmann wußte, daß der U-Bahnbau Frankfurt hart an den Rand des finanziellen Ruins bringen mußte, aber er sah keinen anderen Ausweg mehr: Hunderttausende von rollenden Autos, kreischende, bimmelnde, verspätete Straßenbahnen, Menschentrauben auf den Trittbrettern drängten zur Entscheidung. Diese erste Strecke wurde am 4. Oktober 1968 eingeweiht, mit einem großen Volksfest, mit Freifahrten, Musik und Reden. Schauplatz dieser freudigen Inszenierung war der Hauptwachen-Platz. Dort steht jetzt wieder die alte Hauptwache, die Du noch kanntest. Während der Umgestaltung des Platzes im Zuge der U-Bahnbauten war sie demontiert worden. Auch die Gegner ihres Wiederaufbaus – und es gab einige – haben heute eingesehen, daß dieses reizvolle Barockgebäude mitten im Herzen der Stadt ein Augentrost ist. Um die Wiedererrichtung haben seinerzeit die Bürger energisch gekämpft – und es hat sich gelohnt, Frankfurts City hat ihr Wahrzeichen behalten. Wie Du siehst, ist die Geschichte dieser Stadt noch nicht zu Ende geschrieben, in einigen Dingen atmet Deine Vaterstadt noch ihren alten guten Geist tatkräftiger Bürgerinitiative.

Ich kenne inzwischen Deine Neugierde. Und damit Du mich nicht ermahnen mußt, hier freiwillig eine Schilderung unseres U-Bahn-Projektes, das große Abenteuer unserer Tage: Wir haben drei große U-Bahnnetze geplant, die jeweils in der Innenstadt als Tunnel geführt werden sollen und zum Teil schon jetzt geführt werden. Im Endzustand werden wir ein U-Bahnnetz haben mit insgesamt 124 Kilometern. Davon sollen 44 Kilometer unterirdisch verlaufen. Die restlichen 80 Kilometer sind durchweg kreuzungsfrei geplant, um hohe Geschwindigkeiten und schnelle Zugfolgen zu erreichen. Auf den Hauptstrecken können unter diesen Voraussetzungen in den Spitzenverkehrszeiten die Züge alle zehn Minuten fahren. Da das Schienennetz im oberirdischen Bereich die gleiche Spurbreite besitzt wie die Tunnelstrecken, können die U-Bahnzüge vom Zentrum bis hinaus an die peripheren Haltepunkte benutzt werden.

Es ist möglich, U-Bahnwagen und Straßenbahnen auf dem gleichen Gleiskörper fahren zu lassen, so daß der Wagenpark erst nach und nach umgestellt zu werden braucht; freilich fahren die Trambahnen mit geringerer Geschwindigkeit als die U-Bahnwagen. In Zusammenarbeit zwischen Bundesbahn und Stadt Frankfurt ist das Schnell-Bahnnetz so geplant, daß es von Friedberg bis Darmstadt reichen soll, von Mainz-Wiesbaden bis Hanau. Die Taunusstrecken sind ebenfalls einbezogen, und die Rodgaubahn soll über Offenbach Anschluß an Frankfurt bekommen. Dieses Bundesbahnnetz für den Nah-Schnellverkehr auf elektrifizierten Strecken wird einmal eine Länge von 400 Kilometern haben, wobei 6 Kilometer Tunnelstrecke in der Frankfurter Innenstadt mit entsprechenden Umsteigemöglichkeiten, zum Teil im eigenen Tunnel, zum Teil im Vierergleis, von der Stadt Frankfurt mitfinanziert werden. Auf diese Weise wird es in Zukunft möglich sein, von der Innenstadt aus im U-Bahn-, S-Bahnverkehr den Flughafen innerhalb von zehn Minuten zu erreichen.

Portal des ehemaligen Palais Thurn und Taxis

Dieser Flughafen, heute einer der größten der Welt, ständig dem neuesten Stand der Flugtechnik angepaßt, kostet Frankfurt als Mitaktionär viel Geld, hebt aber auch gleichzeitig die Bedeutung Frankfurts als eine europäische Mittelpunktsstadt besonders hervor.
Ein zentraler S-Bahnhof wird zur Zeit an der Vorderseite des Hauptbahnhofes gebaut. Von hier geht ein eigener S-Bahntunnel zur Taunusanlage. Die zukünftige S-Bahnstrecke führt weiter über Hauptwache und Konstablerwache zur Hanauer Landstraße, unterfährt den Main beim Schlachthof und teilt sich dann in zwei Strecken auf: eine zieht nach Offenbach, die andere über Sachsenhausen zur Schweizer Straße und gabelt sich dort wiederum in zwei Stränge, die ins Umland ziehen. Andere S-Bahnlinien werden dann vom Hauptbahnhof zur Gutleutstraße und weiter führen, oder nach Rödelheim und über Ginnheim, Eschersheim und Berkersheim nach Vilbel und Friedberg.
Du siehst, lieber Fred, es ist ein klug durchdachtes System, ein Konzept, von dem man hoffen kann, daß die Millionen zukunftssicher angelegt werden. Immerhin werden wir mit dem innerstädtischen U-Bahnnetz von 124 Kilometer Länge und den anschließenden Schnellstrecken von 400 Kilometer insgesamt ein Schienennetz von 524 Kilometer erreichen. Wie durch ein Aderngeflecht wäre dann die Frankfurter Innenstadt mit dem

ganzen Rhein-Main-Gebiet verbunden. Zur Zeit freilich ist nur ein Tunnel, jener von der Hauptwache bis zum Dornbusch, mit 4 km in Betrieb.
Im Rohbau fast fertig ist der B-Tunnel von der Konstablerwache über Dominikanerplatz, Römerberg zum Theaterplatz. Der Hauptwachen-Platz ist seit 1968 ein einziger unterirdischer Bahnhof mit drei Tiefebenen: einem S-Bahnhof, einem U-Bahnhof und einer Fußgängerebene.
In diesem regen Jahrzehnt von 1960 bis 1970 sind für den Frankfurter Verkehr weit über eine Milliarde Mark ausgegeben worden. Davon wurden für den Ausbau des Straßennetzes, also für den Autoverkehr, rund 370 Millionen Mark verbraucht. Rechne dazu für den gleichen Zeitraum die 474 Millionen Mark für den U-Bahn- und S-Bahnverkehr im Stadtgebiet: Das sind zusammen 844 Millionen Mark! Frankfurts Steuerzahler haben davon 470 Millionen Mark aufgebracht. Das Land Hessen gab 227 Millionen und der Bund 147 Millionen. Für dasselbe Jahrzehnt mußte die Stadt zur Finanzierung von Straßenbahn- und Busverkehr weitere 257 Millionen Mark ausschütten. An Folgekosten für Straßen- und Brückenbau entstanden Ausgaben von 237 Millionen Mark.
Es ist nicht zu leugnen, mein ferner Freund, die Zukunftsprognosen sind nicht gut. Auch uns laufen die Preise davon. Die Kalkulationen von 1960/61 am Beginn des U-Bahnbaues sind längst eingesargt. Hatten wir damals noch mit 50 bis 60 Millionen Mark pro Jahr gerechnet, muß man jetzt, also ein Jahrzehnt danach, mit dem doppelten, zum Teil dreifachen Betrag kalkulieren. Wir werden in den kommenden Jahren ein paar Teilstrecken „Hoffnung" bauen, das heißt, der Gesamtausbau des Netzes muß in kleineren Etappen erfolgen. Wir haben das Geld nicht mehr, um im vorgesehenen Tempo weitermachen zu können. Je nach Verkehrsbedürfnis muß der Ausbau um zwei bis fünf Jahre verzögert werden, um kleinere Finanzierungsbeträge zu erreichen. Wie es heute aussieht, geht Frankfurt im Jahre 1971 mit vielleicht 30 Millionen Mark ins Defizit, und schon gibt es Vorausberechnungen, die für 1972 rund 150 Millionen Mark Defizit verkünden, die nur durch Steuererhöhungen wieder ausgeglichen werden könnten. Gleichzeitig warnt aber schon die Industrie- und Handelskammer vor weiterer Strapazierung der Frankfurter Wirtschaft, die in hohem Maße beansprucht wird. Hin und wieder ist zu hören, daß Firmen aussiedeln, weil ihnen auf dem Land draußen wesentlich günstigere Steuerbedingungen garantiert sind als in Frankfurt. Manche Firma läßt sich gleich draußen nieder. Das Umland bietet den Unternehmen nicht nur die günstigeren Steuersätze, sondern auch bessere Parkmöglichkeiten für Angestellte und Kunden. Zudem bringen weitere Firmenansiedlungen für Frankfurt die Schwierigkeit erhöhter Verkehrsdichte, für deren Beseitigung dann wieder Geld ausgegeben werden müßte. Irgendwann ist die Leistungsgrenze einer Stadt erreicht, zumal Frankfurt ja im Verhältnis zu seiner Bedeutung ein relativ kleines Areal zur Verfügung hat. Je mehr Verdichtung durch Verkehr und Hochhausbebauung der Innenstadt, umsomehr Probleme kommen im Sinne der Umweltverschmutzung auf uns zu. Es gibt Tage in Frankfurt, an denen kreislauflabile Menschen und Herzkranke zusammenbrechen: Der allgewaltige Smog fällt dann über

Treppenhaus „Alt-Limpurg" im Römerhöfchen

uns her und vergällt uns die Lebensfreude und die Freude an dieser Stadt.
Das Konzept, das im Verkehrsdezernat unter Leitung von Walter Möller erarbeitet worden ist und Zug um Zug durchgeführt wird, könnte uns den Würgegriff des Verkehrs vom Hals schaffen. In der Publicity für diese Stadt sollte freilich herausgestellt werden, daß nicht dieses oder jenes Viertel in Citynähe die „beste Adresse" für eine Firmenansiedlung ist, sondern die eigentliche Adresse „Frankfurt" heißt. Ich weiß, Ihr habt in Amerika die gleichen Nöte und wenig Hoffnung auf neue Lösungen. Hier aber ist noch nicht alles verloren. Noch stehen unsere Wolkenkratzer nicht so dicht und so hoch wie die Euren, noch haben wir die Chance, mit dem Autoverkehr fertig zu werden, wenn die U-Bahnen laufen. Frankfurt erhofft sich viel davon. – Schöne Grüße

Dein Heinrich

Frankfurt am Main, den 2. Februar 1971

Die Frage nach Deiner alten Schule, dem Lessing-Gymnasium, erinnert mich daran, den Versuch zu machen, Dir in wenigen Worten zu berichten, was an unserer „Schulfront" los ist. Wobei ich nicht über das jahrelange Tauziehen um Schulreform sprechen will. Um diesen Punkt darzustellen, müßte jemand ein Buch schreiben; natürlich auch zu dem Streit zwischen

Reformern und Konservativen, die mit einigermaßen Berechtigung das humanistische Gymnasium, zum Beispiel Dein Lessing-Gymnasium, verteidigen, weil sie befürchten, daß über den Pragmatismus der real orientierten Schule der kritische Geist abhanden kommen könnte. Nun, es ist alles in der Gärung begriffen; der einst mit viel reformerischer Hoffnung begonnene Versuch mit Gesamtschulen reibt sich immer noch an der Verwaltungswirklichkeit wund. Die Lehrer werden durch ständige Beratungen und Diskussionen zermürbt. Im Augenblick sieht es so aus, als trieben die Schüler mit ihren Autonomiebestrebungen immer mehr von dem System der Leistungsschule ab. Nichts, lieber Fred, gegen Reformen. Sie sind notwendig und sind hierzulande lange versäumt worden. Ich schrieb Dir einmal, daß die außerparlamentarische Opposition zunächst nur eine Antwort der Jugend und der Bürger war auf eine verkrustete Verwaltung, auf verharschte Parteibürokratie. Es ist richtig und wichtig, daß wir endlich mehr Demokratie verwirklichen, aber sie ist nicht durch Zügellosigkeit zu gewinnen, sondern nur in der ständigen echten Auseinandersetzung zwischen Meinung und Meinung, Anschauung und Anschauung.

Bitte entschuldige den Ausflug in die politische Landschaft; manchmal ist es notwendig, auch dies zu sagen, denn immerhin stehen heutzutage unsere realen Leistungen für die Schule mit gewissen ideologischen Zielvorstellungen in Diskrepanz. Wir haben in den vergangenen 25 Jahren Beachtliches beim Wiederaufbau unserer Schulen geleistet und sind noch nicht am Ende, weil nun auch die Lehrer fehlen. Vielleicht erinnerst Du Dich noch: 1946, als Du von hier fortgingst, war von den 129 Schulen aus der Vorkriegszeit so gut wie nichts mehr übrig geblieben. Die meisten waren ausgebrannt, Ruinen. Die paar, die erhalten geblieben, wurden von der Besatzungsmacht beschlagnahmt und keinesfalls pfleglich behandelt. In den ersten Jahren konnten nach provisorischer Wiederherstellung und Ausbau von anderen Gebäuden wenigstens 750 Klassen genutzt werden. Der Lehrauftrag war nur im Schichtunterricht und in überfüllten Räumen zu erfüllen.

Du weißt, wie knapp die deutschen Städte in den ersten Nachkriegsjahren bei Kasse waren. Da zählen die 13,6 Millionen Mark, die bis 1953 für Schulen ausgegeben wurden, doppelt. Das Flüchtlingsproblem jener Tage war nicht nur ein Wohnungsproblem, sondern auch ein Schulproblem. Wie unerwartet rasch die Bevölkerung der Stadt durch Flüchtlinge, Heimatvertriebene und Zuwanderer aus anderen Städten der heutigen Bundesrepublik angewachsen ist, habe ich Dir schon mitgeteilt. Beim Zusammenbruch – ich erinnere Dich! – wohnten noch 269 000 Menschen in Frankfurt, aber die Hälfte der Wohnungen war zerstört. Ende des Jahres 1951 lebten bereits wieder 550 000 Personen in der noch immer zerstörten Mainstadt. Du kannst Dir vorstellen, welcher Druck dadurch auch auf die Schulen zugekommen ist. Da war es wichtig, daß der Magistrat am 5. Oktober 1953 eine Schulbaudringlichkeitsliste aufstellte und in jedem Jahr mehr Mittel dafür bewilligte. Bis Ende 1971 werden Frankfurts Bürger rund 400 Millionen Mark für Wiederaufbau und Neubau investiert

Das Holzhausenschlößchen

haben. Dein Lessing-Gymnasium, das als Neubau an der Fürstenberger Straße steht, kostete 12 Millionen Mark, die Liebigschule, ebenfalls ein Neubau an der Kollwitzstraße, kam auf 13 Millionen, die Heinrich-Kleyer-Schule am Kühhornshofweg, eine Doppelberufsschule für Maschinenbau, 25 Millionen und das Schulzentrum in der Nordweststadt, die Ernst-Reuter-Schule, deren Reformsystem in der Kritik ist, ging mit 40 Millionen Mark zu Buche. Du siehst an diesen Einzelobjekten, daß auch Schulbau heute viel Geld erfordert. Vielleicht sagen Dir die folgenden Zahlen dazu noch etwas:
1960 gab es in Frankfurt 1235 Volksschulklassen; 1970 insgesamt 1798. 1960 hatten die sogenannten Sonderschulen 60 Räume; 1970 bereits 163. Die Zahl der Räume in den Realschulen wuchs von 236 im Jahre 1960 auf 378 im Jahre 1970, und die der Räume in Gymnasien stieg von 571 in dem Jahrzehnt von 1960 bis 1970 auf die erstaunliche Höhe von 930. An diesen Zahlen läßt sich ablesen, wie ausgeprägt der Bildungsdrang in Frankfurt ist. So ergibt zum Beispiel ein Vergleich mit München, das als vorbildlich gilt, daß Frankfurt Spitzenqualität erreicht. In München gehen 26 Prozent der Bevölkerung zwischen sechs und achtzehn Jahren in öffentliche Realschulen und in öffentliche Gymnasien, in Frankfurt aber 29 Prozent. München holt freilich die Prozentzahl wieder auf, wenn man die Privatschulen mit einbezieht. Das bestärkt jedoch die These, daß Frankfurts Jugend im Bereich der höherwertigen Ausbildung in größerem

Maße als in anderen Städten aus dem Angestellten- und Arbeiterstand stammt. Hier macht sich sicher die nun zwanzigjährige Schulgeld- und Lehrmittelfreiheit geltend. Vielleicht, um das Bild abzurunden, noch folgende Zahlen: Wir haben 1960 insgesamt 2048 Schulräume gehabt und zählten 1970 für alle Schularten 3269. Das ist in zehn Jahren eine Steigerung um mehr als 50 Prozent. Natürlich haben wir auch viel Geld für Kindergärten ausgegeben. Im Augenblick sind fast 30 Kindertagesstätten im Bau. Was Dich persönlich freuen wird: Die Wegscheide, auf der Du ja auch einmal ein paar glückliche Wochen verbracht hast, ist seit vielen Jahren wieder in Betrieb. Jahr um Jahr finden Tausende der Frankfurter Großstadtkinder, die nicht das Glück haben, mit den Eltern nach Italien, Spanien oder Jugoslawien fahren zu können, auf der beliebten Spessarthöhe ihre Ferienfreude. Wenn Du kommst, zeige ich Dir das neue Lessing-Gymnasium, das in der humanistischen Ausbildung noch immer mit an der Spitze steht und hilft, kritische Geister zu erziehen, die wir wie eh und je nötig haben.

Mit Gruß für heute — Dein Heinrich

Frankfurt am Main, den 25. Mai 1971

Es ist leider wahr, lieber Fred, die Zeitung, die bei Euch die Notiz über das Frankfurter Opernhaus brachte, hat recht. Das großartige Gebäude – der Publizist Benno Reifenberg nannte es einmal eine „kostbare Schließe im Gürtel der Stadt" – ist noch immer eine Ruine, in die sich Frankfurts Hoffnungen auf eine bessere musische Zukunft verkrallt haben. Das ruhmreiche Haus der Kunst, dieser kraftvolle und doch elegant wirkende Tempel des musikalischen Theaters, von Richard Lucae entworfen und von 1872 bis 1880 erbaut, von der gesamten Frankfurter Bürgerschaft finanziert, war, wie Du weißt, in jenen verhängnisvollen Märztagen des Jahres 1944 endgültig getroffen worden; das Feuer hatte verzehrt, was innere Schönheit gewesen und konnte doch den tragenden Kern der Mauern, den großen Gesang der Architektur nicht zerstören. Jahr um Jahr fiel der Regen über das Haus her, die Winterwinde und der Schnee fraßen an Giebel und Gesims, an Fensterlaibungen und Pilastern, und in der Sommersonne wuchsen Unkraut und ein kleiner Wald im Gehäuse des Lucae-Baus. Aber Jahr um Jahr hielt der Stein stand, und Jahr um Jahr widerstand die Bürgerschaft der abbruchfreudigen Stadtverwaltung.
Das Haus ist zum Symbol geworden, daß der Geist einer Stadt nicht untergeht. Ein alter Bürgertrotz, der in Jahrhunderten immer wieder gegen die Oberen aufgestanden ist, wenn sie gegen das Allgemeinwohl waren, ist an dieser Ruine wieder aufgewacht. Das zerstörte Opernhaus ist heute ein Zeichen für eine permanente Bürgeraktion, der der Erfolg nicht versagt bleiben wird. Heute nämlich, da ich Dir dieses schreibe, hat die „Aktionsgemeinschaft Opernhaus" die vordere Fassade bereits fast vollständig restauriert. Stein um Stein ist erneuert worden. Jetzt wird dieser

Besonders schönes Wohnhaus im Westend

Teil gewaschen, und schon ist hinter den Gerüsten zu sehen, daß hier bald eine erlesene Architektur wieder aufscheinen wird. Mit jedem Tag, der vergeht, wächst auch den ehemaligen Gegnern die Einsicht, daß man ein solches Gebäude, das selbst die moderne Beton- und Glaslandschaft unserer Innenstadt noch überstrahlt, wie ein Juwel halten müßte. Solltest Du mich demnächst erstaunt fragen, warum der Kampf um einen an sich selbstverständlichen Wiederaufbau der alten Oper zu einem Konzerthaus so heftig war, läßt sich das zweifach beantworten: Einmal wäre es uns zu keinem Zeitpunkt leicht gefallen, das Geld dafür aufzubringen. Ich habe Dir geschildert, wie die Stadt von der Verkehrslawine überrollt wurde, wieviel sie für Schulen ausgeben mußte. Zu schweigen von den Summen, die der Wiederauf- und Neubau der Krankenhäuser gekostet hat, der Altenheime, der Kinderhorte und Kindertagesstätten. Aber ich glaube immer noch, daß nicht die jeweilige Finanzmisere, durch die wir von Jahr zu Jahr getaumelt sind, die eigentliche Schuld trägt, daß das Opernhaus immer wieder dem kommunalen „Streichkonzert" zum Opfer fiel.
Frankfurt, diese vitale Stadt, hat nach dem Krieg nicht nur die dynamischen Männer des Wirtschaftslebens angezogen. Sie übte auch einen Sog auf dynamische Parteileute aus. So kam es, daß die alten Frankfurter in allen

Parteien ziemlich an den Rand gedrängt wurden; so auch in der Sozialdemokratischen Mehrheitspartei, nolens volens damit auch im Stadtparlament. Frankfurts SPD hat sich mit dem Problem Opernhaus immer schwergetan, bis der Verkehrsdezernent Walter Möller, gleichzeitig 1. Vorsitzender des Unterbezirks der SPD, übrigens in Frankfurt geboren, ein altes „Nein" seiner Partei endlich ummünzen konnte in ein „Ja" zum Wiederaufbau. Übrigens ist dieser Walter Möller seit Juni 1970 Oberbürgermeister. Er also sah ein, daß Frankfurt auf ein solch herrliches altes Gebäude nicht verzichten kann und darf.
Die Frankfurter Bürgerschaft betrieb den Widerstand gegen den Abbruch der alten Oper fast vom ersten Nachkriegstag an. Der erste, noch von den Amerikanern eingesetzte Oberbürgermeister, Dr. Blaum, legte bereits 1946 dem damaligen Bürgerrats-Ausschuß – Stadtverordnete gab es erst nach den freien Wahlen – eine Skizze zum Wiederaufbau der Ruine als Konzerthaus vor. In den folgenden Jahren waren Proteste gegen den Abbruch notwendig, denn Gegner der alten Oper saßen auch im Magistrat. 1953 wandten sich die „Polytechnische Gesellschaft" und die „Museumsgesellschaft" an Oberbürgermeister Kolb, mahnend, beschwörend. Die „Frankfurter Rundschau" schrieb: „Wir müssen uns vor unseren Nachfahren schämen, wollten wir diesen schönen Bau unserer Vaterstadt der Vernichtung preisgeben." Die „Frankfurter Allgemeine Zeitung" meinte: „An der Opernhausruine entflammen sich die Leidenschaften." Um diese Zeit wurden in den Diskussionen im Plenarsaal des Römers ideologische Geschütze abgefeuert. Die „Polytechnische Gesellschaft" richtete daraufhin bei der Sparkasse von 1822 ein Spendenkonto ein. Honorige Frankfurter Bürger gingen zum Sammeln auf die Straße, um Geld für eine Absicherung der Ruine zu bekommen, damit die Gegner keinen Grund zum Teilabbruch fanden. 150 000 Mark kamen in diesen Tagen zusammen. Die „Polytechnische Gesellschaft" gründete daraufhin einen Ausschuß „Rettet das Opernhaus". Das war 1955.
1957 kam es zur Gründung einer „Aktion Saalbau im Opernhaus". Oberbürgermeister Werner Bockelmann, der im April 1957 sein Amt angetreten hatte, vermochte, die Stimmung für den Wiederaufbau zunächst günstig zu beeinflussen. Neue Gutachten wurden erstellt. 1961, als Architekten einen kompletten Plan für den Wiederaufbau zum Konzerthaus ausgearbeitet hatten, verlangte die SPD plötzlich Pläne für ein Mehrzweckhaus. Man wollte die Ruine auch für Kongresse nutzen können. Aber die Auflagen waren so hoch, daß jedermann glauben mußte, die errechenbaren Kosten würden der Mehrheitspartei wiederum die Chance geben, ihr „Nein" zu sagen. So geschah es denn auch.
Im Frühjahr 1964 gab Werner Bockelmann sein Amt als Oberbürgermeister auf. Sein Nachfolger, Professor Willi Brundert, kannte Frankfurt aus seiner Studentenzeit und brachte viel Sinn für die Tradition dieser Stadt mit. Auch er befürwortete den Wiederaufbau des Opernhauses. Im Herbst dieses Jahres 1964 rief der Präsident der Industrie- und Handelskammer Frankfurt, Fritz Dietz, zur Gründung der „Aktionsgemeinschaft Opernhaus Frankfurt e. V." auf. Namhafte Bürger, darunter Bundesverkehrsminister

Rententurm (1456), Bernusbau (1717), Burnitzbau (1842) und Saalhof-Kapelle (um 1175)

Leber, der als Gewerkschaftsführer lange in Frankfurt tätig gewesen war, traten dem Vorstand bei. Innerhalb der nächsten zwei Jahre sammelte die Aktionsgemeinschaft sieben Millionen Mark. Insgesamt sind es jetzt mit entsprechenden festen Zusagen über zehn Millionen, die zur Verfügung stehen. Mit einem kleinen Teilbetrag wird seit mehr als vier Jahren Stück um Stück der Fassade restauriert, und irgendwann wird es soweit sein, daß die Stadt – Partei und Körperschaften haben sich inzwischen einverstanden erklärt – gemeinsam mit der Aktionsgemeinschaft an den endgültigen Wiederaufbau geht. Frankfurts „steinerne Schande", wie einmal die Ruine genannt worden ist, muß eines Tages wieder zum Denkmal eines Bürgersinnes werden, der sich immer stärker ausbildet. Es besteht Hoffnung, daß der Augenblick kommt, da die alten und die neuen Bürger dieser Stadt sich so miteinander verstehen, daß sich Reserve und Feindschaft aufheben zu Gunsten gemeinsamer Arbeit für das Wohl ihrer Stadt. Die Städte, das wird immer klarer, sind in unserer so technisch perfektionierten Zeit die kleinste, aber sicherste Heimat. Gleich nach der Familie kommt die Stadt; sie vermag unter Umständen mehr Nestwärme zu geben als ein unwirtliches, liebloses Elternhaus. Lieber Fred, ich habe heute keine Zeit mehr, weiter über Bürgeraktionen und Bürgerinitiativen zu schreiben. Nein, der Stoff geht mir so schnell nicht aus! Aber Du hast Dich kürzlich beschwert, Du willst nicht mehr so lange Briefe haben. Du meinst, Du engagiertest Dich plötzlich von fern wieder so für Frankfurt, daß Du atemlos wirst beim Lesen. Na schön, dann lies diesen Brief und erwarte meinen nächsten; der wird Dich erstaunen machen. Grüß Deine Frau und Deine Kinder, bis bald

Dein Heinrich

Frankfurt am Main, den 6. Juni 1971

Lieber Fred, in einem meiner ersten Briefe schrieb ich, es sei für den Wiederaufbau der völlig zerstörten Altstadt zwischen Dom und Römerberg Schlimmes zu befürchten. Meine Erwartungen sind leider eingetroffen. Der Baudezernent hat ein sogenanntes „Technisches Rathaus" durchgesetzt, das zur Zeit an der Braubachstraße, ganz in Domnähe gebaut wird. Die CDU-Fraktion und Mitglieder der FDP-Fraktion haben sich verzweifelt gegen das Projekt gestemmt, sind aber überstimmt worden.
Der 19. März, jener Tag, an dem die Entscheidung für dieses Gebäude am Krönungsweg des alten Reiches fiel, brachte auch gleichzeitig – so paradox es klingt – ein neues Selbstverständnis unserer kommunalen Demokratie. Im Kampf gegen dieses merkwürdige Rathaus haben sich fünf Frankfurter Kulturvereine zu einer „Aktionsgemeinschaft Dom–Römerberg" zusammengeschlossen. Sie haben die Bürger aufgerufen, Geld zu spenden. Mit diesem Geld haben sie einen auswärtigen Architekten beauftragt, Gegenvorschläge zu machen. Er entwarf ein Verwaltungsgebäude auf dem Dominikanerplatz, denn dort hätte man der rationellen Bauweise wegen für das gleiche Geld fast die doppelte Anzahl der Büroräume schaffen können wie am Dom. Die Bürger haben, als auch das nichts nützte, zusammen mit dem Bund der Steuerzahler ein namhaftes Institut beauftragt, die Kosten für das neue Rathaus am Dom zu überprüfen. Das Ergebnis war niederschmetternd für die städtische Planung, animierte aber die Behörde nicht zum Nachgeben.
Frankfurter Bürger haben vor der Entscheidung vom März 1970 insgesamt 300 000 Flugblätter mit Unterschriftszetteln gegen die Errichtung des Technischen Rathauses verteilt. Sie standen bei Wind und Wetter an der Hauptwache, am Römerberg, am Opernplatz. Sie trabten durch Bockenheim und Bornheim, durch die Zeil und durch Sachsenhausen. Sie schoben Zehntausende von Zetteln in Briefkästen in allen Stadtteilen und bekamen innerhalb von knapp fünf Wochen die ungewöhnliche Zahl von mehr als 22 000 Unterschriften gegen den Bau des Technischen Rathauses in der geplanten Form in Domnähe zurück. Nun, inzwischen wächst es von Tag zu Tag in die Höhe. Immerhin wird der höchste Turm dieses Rathauses, das den guten alten Römer mächtig übertrumpft, noch über den First des Langhauses vom Dom hinausragen!
Aus der Arbeit der „Aktionsgemeinschaft Dom–Römerberg" hat jedoch die Bürgerbewegung in Frankfurt wesentliche Impulse bezogen. So hat sich zum Beispiel wegen einer geplanten und für die Bevölkerung verhängnisvollen Stadttangente über die Miquel- und Adickesallee zur Rat-Beil-Straße eine Aktionsgemeinschaft gebildet, die sich mit Eingaben bis zum Verkehrsminister durchschlug. Vor allem gewann die „Aktionsgemeinschaft Westend", zum Teil unter der gleichen Leitung wie die „Aktionsgemeinschaft Dom–Römerberg", aus dem Kampf gegen das neue Rathaus Antriebskräfte. Die Bevölkerung im Westend begann, sich gegen die weitere Austreibung zu wehren und ging

Relief am inneren Südportal der Liebfrauenkirche, um 1425 entstanden

auf die Straße. Mit einer großen Demonstration, ein paar Tage vor der Landtagswahl am 8. November 1970, protestierte die Bevölkerung gegen den weiteren Vormarsch der Bürohochhäuser in diesem einst so schönen Wohngebiet. Mit schwarzen Fahnen, Fahnen der Trauer, zogen die Bürger durch die Stadt. Auf Plakaten bekundeten sie ihre Empörung. In der Schillerstraße wurden von Margarinenkisten herunter Reden gehalten, die Bürger anderer Stadtteile aufgerufen, die Entwicklung zu steuern, zu rebellieren, wenn Spekulanten auftauchen sollten. Die blieben natürlich nicht aus; und heute gibt es außer im Westend auch Aktionsgemeinschaften im Nordend, im Ostend und in Sachsenhausen. Mit einer stummen Kundgebung an der Hauptwache, direkt unter den Augen des zur Wahlkampagne herbeigeeilten Bundeskanzlers Willy Brandt, des hessischen Ministerpräsidenten Albert Osswald und dem seit ein paar Monaten amtierenden neuen Oberbürgermeister Walter Möller, bildeten damals die Westendbewohner schließlich eine Mauer der schweigenden Klage gegen den Ausverkauf ihres traditionellen Wohnzentrums. Spätestens an diesem Tag hat OB Walter Möller wohl eingesehen, daß die Bürger seiner Stadt mit echter Verzweiflung um ihre Wohnheimat kämpften. Er muß gewissermaßen mit der Faust auf den Magistratstisch geschlagen haben. Er setzte eine sofortige Veränderungssperre durch, die auch die Stadtverordneten durchweg billigten. Kein Abriß und kein Neubau durfte nun mehr ohne Zustimmung der Stadtverordneten genehmigt werden. Die Stadtverordneten besannen sich auf ihre Pflicht und begannen, von Monat zu Monat die Bürgerschaft stärker in die Entscheidungen einzubeziehen. Seit der Zeit gibt es öffentliche Ausschußsitzungen und Stadtverordnetenversammlungen mit Bürgern als gern gesehene Zuschauer; das demokratische Verhalten ist wieder gefestigt.

Für Dich wie jeden anderen Außenstehenden ist kaum zu ermessen, was es für uns bedeutet, daß der Oberbürgermeister, der zur Zeit leider mit einem Herzinfarkt im Krankenhaus liegt, mehr und mehr darauf drängt, aus Frankfurt wieder eine menschliche Stadt zu machen. Wir atmen auf, der Alpdruck löst sich; wir sahen unsere Stadt bereits vom wilden Fortschrittsglauben erdrosselt, menschenleer; wir sahen eine verödete Innenstadt und allmählich verslumende Büroviertel ringsum, so wie bei Euch. Es ist schon recht merkwürdig: Ein Mann, der als neuer OB allgemein gar nicht so sehr bejubelt worden war, hat sich nach wenigen Monaten als guter Bürger auf dem hohen Stuhl der Kommunalpolitik erwiesen. Möge er bald wieder gesund werden, um Frankfurt zu helfen, ehe es zu spät ist.

Du wirst fragen, ist es denn schon so spät? O ja. Wenn Du alles überdenkst, was ich Dir schrieb, kann man schon den Eindruck gewinnen, daß es höchste Zeit war, daß ein vernünftiger Kopf die hemmungslose Bauwut und Umstrukturierungslust stoppte. Vor ein paar Tagen fand ich in einem Zeitungsarchiv einen Beitrag, den der Frankfurter Schriftsteller Horst Krüger im Sommer 1968 für eine Münchner Zeitung schrieb. Krüger zeichnete ein gnadenloses Bild von Frankfurt und wurde natürlich gescholten. Seine zutreffenden Schilderungen werden Dir zeigen, wie weit wir schon abgetrieben waren:

„Das Grundgefühl ist: zuviel. Es ist alles zuviel hier im Augenblick. Es gibt zu viele Menschen hier auf dem engen Raum. Sie drängen, sie schieben, sie wälzen sich über Bürgersteige, sie ergießen sich in breiten Strömen über Zebrastreifen, fluten in Kaufhäuser, steigen wie Wasser Etagen hoch, drängen sich vor Tischen, vor Sammelkassen, stehen in unförmigen Trauben vor breiten Packtischen und tragen zuviel weg – in großen Tüten. Ist das die berühmte Bevölkerungsexplosion? Es gibt zu viele Autos hier in der Stadt, zu viele Einbahnstraßen, zu viele Verkehrsschilder: Wirrwarr der Verbote. Der Verkehr ist wie eine einzige Blechziehharmonika, schweigend zusammengepreßt, dann löst sie sich quietschend, zieht sich auseinander und preßt sich schon wieder zusammen."

Krüger berichtet weiter über Baulöcher und Lärm, über Kaufhäuser und Supermärkte, über beiseite gedrängte alte Menschen. Und er schreibt am Schluß:

„Nein, das ist gewiß nicht alles über die Stadt. Sie hat so viele Gesichter: Kaufmannsgesichter, Maklergesichter, Bankiersgesichter. Es gibt immer noch die Frankfurter Börse ... Es gibt die vielen Pendler, die jeden Morgen, jeden Abend wie gewaltige Herden über den Hauptbahnhof ziehen. Es gibt die Gammler am Marshallbrunnen; es gibt die Studenten, die im Augenblick etwas müde und ratlos in die Ferien gehen ...

Prachtvolles Bürgerpalais in der Siesmayerstraße

Was ist die Stadt? Ein einziger Spielbaukasten der Republik, der im Neuaufbau herunterfiel: Nun liegt alles etwas wirr und chaotisch durcheinander. Ihre Anmutungen sind im Augenblick reine Zumutungen. Ein einziger Operationssaal: Narkosegefühle, blinkende Messer, Angst aller Opfer. Es ist, als wenn man in den aufgerissenen Leib dieser Republik sähe: Deutschland – unten."
Lieber Fred, ich bin froh, daß ich diese Schilderung gefunden habe. Du könntest sonst denken, ich hätte jetzt einundeinhalbes Jahr lang in meinen Briefen übertrieben, weil mich Frankfurt am Ende doch noch enttäuscht habe. Du siehst vor allem am Bericht des Schriftstellers Krüger, daß die Bürgeraktionen heilsame Operationen waren.
Es grüßt Dich

Dein Heinrich

Frankfurt am Main, den 14. Oktober 1971

Ich weiß nicht, lieber Fred, warum Du so skeptisch bist und meine Hoffnung auf eine bürgernahe Stadtverwaltung nicht teilen willst. Sicher ist es schwer für den einzelnen in New York, Chikago oder Deinem Los Angeles, das Stadtgeschehen noch zu überblicken. Da können nur Organisationen helfen, in denen sich viele, auch Fachleute unter den

Bürgern, betätigen und einsetzen, um Klarheit zu gewinnen. So ähnlich ist es ja bei uns im kleineren Maßstab mit der im letzten Brief geschilderten „Aktionsgemeinschaft Westend". München, das ungefähr dreimal soviel Einwohner hat wie Frankfurt, hilft sich seit Jahren mit einem Forum für Stadtentwicklung der Bürger und hat gute Erfolge damit. Etwas ähnliches ist in diesem Sommer in Frankfurt auf Wunsch des OB auch ins Leben gerufen worden. Ob wir fähig sind, solch ein Instrument so erfolgreich zu handhaben wie die Münchener, muß sich erst noch erweisen. Aber vorläufig liegt Frankfurt ja noch in einer überschaubaren Größenordnung.

Schwierig wird es freilich schon für den einzelnen Bürger, die Region zu übersehen, die sich rings um Frankfurt gebildet hat. Im Laufe der letzten zehn Jahre hat sich hier im Rhein-Main-Gebiet um die Kernstadt Frankfurt ein Ballungsraum entwickelt. Bis nach Hanau und über Offenbach in den Odenwald hinein, sowie auf der anderen Seite zum Taunus und in Richtung Rüsselsheim haben sich Firmen und Verwaltungszentralen angesiedelt und natürlich auch wieder Arbeitskräfte angezogen.

Im Augenblick leben und arbeiten im Umkreis von etwa 30 Kilometern um Frankfurt wohl rund 1,5 Millionen Menschen. Da war es sicher richtig, daß bereits 1957, angeregt durch Frankfurt, zunächst eine „Kommunale Arbeitsgemeinschaft für das engere Untermaingebiet" gegründet worden ist. Es war ein Zusammenschluß von Landräten und Bürgermeistern des Planungsraumes. Leicht war es nicht, überhaupt erst einmal diese Arbeitsgemeinschaft zuwege zu bringen. Oberbürgermeister Bockelmann brauchte damals viel Überzeugungskraft, um dieses Gremium ins Leben zu rufen, das erst nur Grundlagenforschung betreiben sollte. Es ging zunächst darum, mit den Nachbargemeinden Gespräche über großräumige Verkehrsplanung zu führen. Schon damals zeichnete sich ja, wenn auch in vorsichtigem Umriß, die zukünftige Expansion von Wirtschaft und Verkehr im Untermaingebiet um Frankfurt ab. Zugegeben, die Anfangsarbeit war nicht sehr erfreulich.

Die Gemeinden, die letztlich begannen, von der Sogkraft der Kernstadt Frankfurt zu profitieren – dies sowohl bevölkerungsmäßig wie wirtschaftlich –, sträubten sich. Sie nahmen gern am Wachstum teil, wollten aber den gemeinsamen Interessen kein Opfer bringen. In diesem Jahr nun geht es schon kaum mehr um eine Planungsgemeinschaft, obwohl die im Frühjahr 1965 aus der alten Organisation hervorgegangene „Regionale Planungsgemeinschaft Untermain" durch Neuorganisation mit anders aufgeschlüsselter Beteiligung ein nun durchaus großzügiges Modell geworden ist. Frankfurt hat, ungeachtet seiner Bevölkerungsdichte, sich nur neun von insgesamt 62 Vertreterpositionen in dieser Planungsgemeinschaft gesichert, also nach keinerlei Majorität geschielt. Es geht jetzt darum, für das Ballungsgebiet eine neue Form der Verwaltung zu finden. Frankfurt denkt dabei an eine Art „Groß-Berlin" mit einem zentralen Plenum im Kerngebiet Frankfurt und entsprechenden Verwaltungsbezirken aus den bisherigen Gemeinden. Diese Bezirke sollen eine gewisse Autonomie erhalten, aber vom zentralen Plenum abhängig sein. Dieser an

Die Nidda mit ihren Wiesen, der Römerstadt und der Nordweststadt dahinter.

Frankfurt von Sachsenhausen aus: Vorne die Dreikönigskirche, dahinter der Kaiserdom.

Dazwischen der uralte Main, weit überragt von den Türmen der verwalteten Welt.

U-Bahn-Station Heddernheim, in der Ferne der Taunuskamm mit dem Feldbergturm.

sich recht honorige Vorschlag – als „Möller-Plan" bezeichnet, weil ihn der OB entwickeln ließ und sich dafür stark machte – ist bei den Umlandgemeinden auf heftige Abwehr gestoßen. Die Gemeindevertreter sehen den Überschuß schwinden, den ihre Kassen zur Zeit aufweisen.
Durch Ansiedlung von Gewerbebetrieben sind nämlich zahlreiche kleine Ortschaften sehr wohlhabend geworden, während Frankfurt sich allmählich ausblutet, um den jetzt 208 000 Pendlern aus dem Umland die Fahrt nach Frankfurt per Auto und U-Bahn angenehmer zu gestalten. Nun ja, auch die Bürgermeister machen ihre Rechnung gegenüber Frankfurt auf. Sie sagen beispielsweise, Frankfurt profitiere ja durch die Anteile an der Lohnsummensteuer auch von den Pendlern, gewönne also auf diese Weise Einnahmen. Doch scheint dies eine Milchmädchenrechnung zu sein; denn Frankfurt ist höher verschuldet als jede andere Stadt in der Bundesrepublik. Wir sind die reichen Armen.
Die Industrie- und Handelskammer stellt zur Zeit Statistiken zusammen, aus denen sowohl Frankfurts wirtschaftliche Mittelpunktslage wie auch die Belastung ersichtlich ist, die aus dieser ungewöhnlichen geographischen und wirtschaftlichen Stellung für die Stadt entsteht. Eine Kurve ist besonders interessant. Sie betrifft einen fiktiven gemeinsamen Hebesatz für die größeren Städte der Bundesrepublik für die Gewerbesteuer von 250 v. H. nach Ertrag und Kapital je Einwohner: Düsseldorf hätte nach diesem Schlüssel im Jahre 1969 pro Einwohner an Gewerbesteuern 474 Mark einnehmen müssen. Dann käme Stuttgart mit 455 Mark, danach Hannover mit 400 Mark, und weiter in der Rechnung das große München mit 362 Mark. Frankfurt jedoch ließe all diese Städte weit hinter sich und hätte nach dieser Aufschlüsselung im Jahre 1969 sage und schreibe 668 Mark pro Kopf eingenommen. Das sind 65 Prozent mehr als die Hannoveraner eingenommen hätten. Nimmst Du nun den gleichen Schlüssel für die vorausgegangenen Jahre an, so wäre zum Beispiel Düsseldorf von 320 im Jahre 1966 auf 474 Mark im Jahre 1969 angestiegen, aber Frankfurt von 378 Mark im Jahre 1966 auf 668 Mark im Jahre 1969.
In Düsseldorf wäre also im Verhältnis die Gewerbesteuerkraft um knapp 50 Prozent angestiegen, für Frankfurt aber ließen sich für den gleichen Zeitraum 75 Prozent errechnen. Wenn man nachdenkt, steckt natürlich in dieser Steigerung der Gewerbesteuerkraft Chance und Dilemma Frankfurts, denn die ungewöhnliche Steigerung verdankt Frankfurt der wachsenden Zahl der Dienstleistungsbetriebe, der Firmen der Verwalteten Welt. Diese aber hat in Frankfurt, wie ich Dir berichtete, nur Fuß fassen können auf Kosten der Wohnbevölkerung, die nach draußen gedrängt worden ist. Die kletternde Kurve der Statistik ist mit stürzender Einwohnerzahl und bestürzten Einwohnern erkauft.
Wie Du siehst, kann man aus der Wirtschaftsstatistik Vorteile und Nachteile zugleich ablesen. Nüchterne Zahlen belegen unwiderruflich, daß Frankfurt die wirtschaftlich produktivste und erfolgreichste Stadt des Landes Hessen ist und gleichzeitig eine Schlüsselposition in der Bundesrepublik einnimmt. Frankfurt, das ist für den Ballungsraum Rhein-Main das, was die Fachleute ein „Oberzentrum" nennen. Die Frankfurter

aber sagen gern „Metropole“ dazu. 16,2 Prozent aller Arbeitsstätten in Hessen haben zum Beispiel ihren Sitz in Frankfurt, und 23,6 Prozent aller hessischen Arbeitskräfte sind in Frankfurt beschäftigt. Du wirst es nicht glauben, Frankfurt hatte am Stichtag der Volks- und Berufszählung im Jahre 1970 669 635 Einwohner, einschließlich der Ausländer. Experten sagen, diese Stadt sei eine ausgeprägte Arbeitsstadt, denn 51,2 Prozent der 669 635 Einwohner waren 1970 erwerbstätig, also rund 340 000 Einwohner. Zählst Du jetzt noch die 208 000 Pendler hinzu, kommst Du auf 548 000 Menschen, die im Zählungsjahr täglich in dieser Stadt in einem Industriebetrieb arbeiteten, in einem Geschäft hinterm Ladentisch standen, im Büro saßen, am Bankschalter arbeiteten. Der hohe Anteil, den der Handel, die Banken, die Versicherungen, kurz alle sogenannten Dienstleistungsbetriebe, einschließlich der städtischen Beamten, im Frankfurter Wirtschaftsleben einnehmen, ist nachgewiesen. Rund 287 500 Menschen arbeiten als Beamte und Angestellte, das sind 55 Prozent aller Beschäftigten. Obwohl die Industrie einen tragenden Faktor der Frankfurter Wirtschaft darstellt, sind nur 169 200 Arbeiter hier tätig, rund 37 Prozent aller Beschäftigten. In Frankfurt arbeitet ein Fünftel aller industriell Erwerbstätigen Hessens, die wiederum fast ein Viertel des gesamten Industrie-Umsatzes des Landes erwirtschaften. Dieses Viertel macht mehr als ein Drittel des hessischen Exportes aus. Wie Du siehst, stellt merkwürdigerweise die raumknappe Großstadt ein starkes Industriepotential dar. Ich schrieb Dir einmal, daß Frankfurt vom Tag an, da die Chance, Hauptstadt der Bundesrepublik zu werden, verloren war, das Steuer scharf herumriß und durch intensive Wirtschaftsförderung begann, Industrieunternehmen nach Frankfurt zu ziehen. Vorrangig in unserem Raum ist die chemische und die elektronische Industrie sowie der Maschinenbau. Diese drei Produktionszweige allein haben 1970 zehn Milliarden Mark umgesetzt. Insgesamt kann man für das gleiche Jahr mit einem Umsatz von rund 20 Milliarden Mark in allen Industrie-Bereichen rechnen, wobei die Verbrauchsgüter-Industrie und die Nahrungs- und Genußmittel-Industrie eine recht erhebliche Rolle spielen. Die Frankfurter Wirtschaft ist in allen Branchen so reichlich und differenziert vertreten, daß Industrie, Handel und tertiärer Sektor zusammen eine sichere Grundlage für den Arbeitsmarkt und das Steueraufkommen bieten. Dieser hochentwickelten Wirtschaftsstruktur verdankt Frankfurt eine hohe Zuwachsrate des Brutto-Inlandproduktes. Damit liegt die Stadt an der Spitze der Großstädte in der Bundesrepublik.

Vor einigen Jahren hat das Hessische Innenministerium im Landesraumordnungsprogramm gewisse Richtlinien erarbeitet, nach denen Frankfurt als das erwähnte „Oberzentrum“ gelten kann, wie schon gesagt: eine Metropole! Das Land Hessen verlangt in den Richtlinien für den Maßstab „Oberzentrum“ eine gewisse Ausstattung mit Einrichtungen von überregionaler Bedeutung. Mein Freund, Frankfurt hat davon mehr als genug. Ich zähle Dir jetzt zur Verdeutlichung die überregionalen Behörden auf, die in unserer Stadt domizilieren: Deutsche Bundesbank, Landeszentralbank in Hessen, Bundesdisziplinargericht, Bundes-

Rest der Staufenmauer an der Fahrgasse, um 1170 errichtet

rechnungshof, Bundesvermögensstelle, Hauptverwaltung der Deutschen Bundesbahn und Bundesbahndirektion Frankfurt, nachgeordnete Dienststellen des Bundesministeriums für Ernährung, Landwirtschaft und Forsten mit dem Bundesamt für Ernährung und Forstwirtschaft und den Einfuhr- und Vorratsstellen für Fette, Getreide und Futtermittel sowie Schlachtviehfleisch und Fleischerzeugnisse und für Zucker, Institut für angewandte Geodäsie als nachgeordnete Dienststelle des Bundesministeriums des Innern, Bundesamt für gewerbliche Wirtschaft als Oberbehörde des Bundeswirtschaftsministeriums, Bundesanstalt für Flugsicherung, Bundesanstalt Technisches Hilfswerk.
Dazu sind folgende weitere Dienststellen des Bundes und des Landes zu rechnen: Deutsche Bundespost – Oberpostdirektion –, Oberfinanzdirektion und Zollbehörden, Landesarbeitsamt Hessen, Zentralstelle für Arbeitsvermittlung der Bundesanstalt für Arbeit, Wasser- und Schiffahrtsamt Frankfurt, Landesamt für Vermögenskontrolle und Wiedergutmachung in Hessen, Autobahnamt Frankfurt, Hessische Ausführungsbehörde für Unfallversicherung, Hessische Landesstelle für Ernährungswirtschaft, Justizbehörden – Oberlandesgericht, Landgericht, Amtsgericht, Verwaltungsgericht, Landesarbeitsgericht, Sozialgericht, Landesversorgungsamt Hessen.
Daß Frankfurt auch ein Zentrum für ausländische Vertretungen ist, kannst Du Dir leicht vorstellen. Es gibt in dieser Stadt 49 Konsulate und dazu zahlreiche Handelsvertretungen von auswärtigen Handelskammern. Unter

den kulturellen Instituten in Frankfurt finden sich zahlreiche Einrichtungen mit überörtlichem Charakter und Bedeutung. Zum Beispiel: Die Universität mit ihren Instituten und Seminaren. Die Stadt hat freilich vor einigen Jahren diese einstige und einzige Stiftungsuniversität Deutschlands an das Land Hessen abgetreten. Sie konnte sich die Alleinfinanzierung nicht mehr leisten, doch zahlt sie noch heute jährlich viele Millionen Mark dazu. Ferner zählen zu den kulturellen Einrichtungen: Hochschule für Musik und darstellende Kunst, Fachhochschulen für Bau- und Vermessungswesen, für Maschinenwesen und für Sozialarbeit, Akademien und Institute mit wirtschaftlicher, pädagogischer und theologischer Aufgabenstellung, private Fachschulen, wissenschaftliche Vereine und Institute der verschiedensten Fachrichtungen, Deutsche Bibliothek und Deutsches Rundfunkarchiv, Hessischer Rundfunk, Bundespostmuseum, Goethemuseum, Naturmuseum und Forschungsinstitut Senckenberg.
Über die anderen Frankfurter Kulturinstitute berichte ich in einem späteren Brief. Soviel nur jetzt, daß sie, wie das Städel und seine Kunsthochschule, wie das Theater und die großen Konzertveranstaltungen, den Maßstab, der an ein „Oberzentrum", an eine Metropole, gestellt wird, voll erfüllen. Der Kämmerer hat kürzlich einmal ausgerechnet, daß Frankfurt den Kulturbedürfnissen im Umland mit ungefähr 100 Millionen Mark im Jahr dient und vom Land Hessen keinen Pfennig an Subventionen dafür erhält.
Lieber Fred, es ist, wie es immer war: Die insgesamt 22 Krankenanstalten in Frankfurt werden nach wie vor auch von Patienten aus dem Umland aufgesucht, obwohl im Spätherbst und Winter Überbelegung vorhanden ist. Wie eh und je genießen Frankfurts Krankenhäuser einen guten Ruf, der bis weit ins Ausland dringt. Unsere Universitätskliniken, das Unfallkrankenhaus, das Nordwest-Krankenhaus, von der Stiftung Hospital zum Heiligen Geist gebaut und betrieben, haben schon seit Jahren mit ihren modernen Einrichtungen europäischen Rang. Im neuen St. Markus-Krankenhaus in Ginnheim, das vom Bockenheimer Diakonissenverein betrieben wird, gibt es seit drei Jahren eine Isotopenabteilung. Nur wenige Krankenhäuser in Frankfurt haben eine solche hochkomplizierte Einrichtung.
Nach diesem kleinen Ausblick auf die soziale Welt wieder zurück zum Kommerz. Zu einer Metropole gehören auch die Berufsvertretungen und die Wirtschaftsverbände. Frankfurt hat da einiges aufzuweisen. Allein sieben Arbeitgeberverbände verschiedener Wirtschaftszweige auf Landesebene gibt es hier; dazu fünf Hauptvorstände von Gewerkschaften sowie zahlreiche gewerkschaftliche Organisationen auf Landes- und Bezirksebene, handwerkliche Vereinigungen und Verbände, davon sieben Bundesverbände und 16 Landesverbände, Kammern auf Landesebene: Kammer der Steuerbevollmächtigten, Landesärztekammer, Landesapothekerkammer, Landeszahnärztekammer, Steuerberaterkammer, Wirtschaftsprüferkammer und Arbeitsgemeinschaft hessischer Industrie- und Handelskammern sowie Pressestelle hessischer Kammern und

Verbände. Im Bereich des Sports haben Landes- und Bundesverbände ihren Sitz in Frankfurt. Um den Sport in Frankfurt steht es nicht schlecht. Wir haben zahlreiche Schwimmbäder wieder ausgebaut und neue dazugewonnen. Die Sportvereine haben ihre Sportplätze, Turnhallen gibt es viele. Draußen im Stadtwald ist noch immer die Radrennbahn zu bewundern, und das große Schwimmbad mit der riesigen Liegewiese am Stadion dient in den Sommermonaten der Bevölkerung, die sich draußen wie zu einem Volksfest zusammenfindet. Ganz in der Nähe wurde nach dem Krieg eine Deutsche Sportschule eingerichtet, und das an sich schon einmal renovierte Stadion selbst soll nun bald mit Millionenkosten so umgebaut werden, daß in Frankfurt Spiele für die Fußballweltmeisterschaft stattfinden können.
Heute wurde in der Oper Charles Gounods „Margarethe" gegeben; Du weißt, das große Thema Goethes wird hier abgehandelt. Bald nach Beginn gab es bereits Buhrufe, aber nicht wie im Schauspiel aus der linken Ecke, sondern aus der rechten, will sagen konservativen. Da hatte doch Bohomil Herlischka, der Regisseur, den geliebten klassischen Stoff frisch aus Opas Theater fortinszeniert, aktualisiert, zeitgenössisch interpretiert. In der Pause wußte man, daß unsere Oper, auf die wir sehr stolz sind, ein großes szenisches Ereignis bot. Es war ein Abend mit viel Phantasie, und das Orchester unter Generalmusikdirektor Christoph von Dohnányi spielte glanzvoll. Anja Silja, vor einem Jahrzehnt hier entdeckt und eines der großen Stimmwunder an deutschen Bühnen, sang die Titelpartie so fesselnd und ausdrucksstark, daß das Publikum raste. Wir gingen nachhause und wußten: Dies war wieder einmal ein Theaterabend, auf den Frankfurt stolz sein konnte. Du siehst, Frankfurt handelt nicht nur mit Aktien, es wuchert auch hin und wieder mit den Pfunden der Kultur. Leb wohl und laß von Dir hören.

Dein Heinrich

Frankfurt am Main, den 22. November 1971

Lieber Fred, Frankfurt ist bestürzt. Oberbürgermeister Walter Möller ist tot. Ich schrieb Dir bereits, daß er im Frühjahr einen Herzinfarkt bekam, viele Wochen im Krankenhaus lag, dann zur Kur nach Bad Orb fuhr. Im September nahm er seine Arbeit wieder auf. Er starb auf einer Fahrt am 16. November im Stadtgebiet von Wiesbaden an einem zweiten Herzinfarkt. Noch vor einer Woche sah ich in einer Zeitung ein Bild von ihm. Das Gesicht schien so durchsichtig, die Augen waren ohne Kraft; ein gezeichneter Mann, seinem Amt zum Opfer gefallen wie die Vorgänger. Ein mörderisches Amt sei der Posten des Frankfurter Oberbürgermeisters, heißt es hierzulande. Viel Wahrheit steckt in diesem Satz. Vor ein paar Tagen brachte die „Frankfurter Neue Presse" im Zusammenhang mit den Berichten über Walter Möllers Tod die Kurzbiographien der Frankfurter Oberbürgermeister der Nachkriegszeit. Die Überschrift heißt:

„Nach 1945: Die Männer im Römer.“
„4. Juli 1945: Der ehemalige Oberbürgermeister von Hanau, Dr. Kurt Blaum, wird von der amerikanischen Militärregierung als Oberbürgermeister von Frankfurt eingesetzt. Er bleibt 15 Monate im Amt. Er stirbt am 26. November 1970 in Oberursel.
1. August 1946: Walter Kolb, zum Oberbürgermeister gewählt, wird in sein Amt eingeführt. Seine Hauptaufgabe sieht er im Wiederaufbau der Stadt. Banken und Industrien siedeln sich wieder in Frankfurt an. Walter Kolb, bekannt für seinen 18-Stunden-Arbeitstag, erliegt nach einer gerade überstandenen Lungenentzündung in der Nacht zum 20. September 1956 in seiner Wohnung im Bolongaro-Schlößchen in Höchst einem Herzinfarkt.
4. April 1957: Nach einstimmiger Wahl durch die Stadtverordneten tritt Werner Bockelmann sein Amt als Oberbürgermeister an. In seine Zeit fällt der Baubeginn der Nordweststadt und die Entscheidung für den U-Bahn-Bau. Mitte 1964 wechselt er zum Präsidium des Deutschen Städtetages über. Am 7. April 1968 stirbt er an den Folgen eines Verkehrsunfalls.
1. Juli 1964: Professor Dr. Willi Brundert wird zum Oberbürgermeister gewählt, im März 1970 wird er auf weitere acht Jahre im Amt bestätigt. Verwaltungsfachmann und engagierter Verfechter eines künftigen Städtebauförderungsgesetzes, erliegt in der Nacht zum 8. Mai 1970 an den Folgen einer Lungenentzündung und eines Leberleidens.“
Lieber Fred, ich habe noch zu wenig Distanz, um zum Tod von Walter Möller jetzt schon etwas sagen zu können. Journalisten sind da in einer anderen Situation. Sie müssen schreiben, urteilen, denn die Rotationsmaschine wartet nicht. Der Druck, der den Männern dieses Berufes im Genick sitzt, zwingt sie, sehr rasch zu reagieren, und dabei finden sie leichter Abstand. Die „Frankfurter Neue Presse“ druckte am Tag nach dem Tode von Walter Möller einen Nachruf. Die Überschrift lautet: „Auf dem Weg zur ‚menschlichen Stadt‘“: „In seiner kurzen Amtszeit fiel die Entscheidung, die Stadtplanung an die kurze Leine zu nehmen, ein zweites Westend möglichst zu vermeiden. Aber Möller beließ es nicht bei großen Entwürfen, er kümmerte sich auch um das Detail, schaute sich Stadtteil für Stadtteil an Ort und Stelle an, scheute keine Bürgerversammlung, auf der ihm die Pfiffe schon vorher sicher waren. Denn er hatte keine Lust, ‚nur hinter dem Schreibtisch zu sitzen und die Goldene Amtskette zu polieren‘. In seinem Büro hieß es zuletzt: ‚Samstags nimmt der Chef keine Termine mehr an.‘ Diese Anweisung hatte Walter Möller selbst gegeben. Vor drei Wochen kam er doch zu einem Termin. Samstagsvormittags. Energisch, fröhlich. Und er sagte damals, als er eine Plastik einweihte: ‚Manchmal fragt man sich, wie lange sowas steht. Hält es länger als wir?‘“
Dies also ist das Porträt eines Mannes, der – wie Du gelesen hast – kurz vor seinem Tod den Wunsch von einem Frankfurt, in dem Menschen wieder gern leben wollen, ins Buch der Stadtgeschichte schrieb. In den Reden zu der Trauerfeier für ihn klang durch, daß der Magistrat und vor allem die Stadtverordneten seinen Wunsch als Vermächtnis betrachten wollen.

Goethehaus im Großen Hirschgraben

In einem letzten kommunalpolitischen Situationsbericht hatte Möller unter anderem gesagt: „Da wir die Straßenflächen in der Innenstadt nicht mehr wesentlich erhöhen wollen und vor allen Dingen die Grünanlagen nicht nur erhalten, sondern möglichst vermehren sollten, können stark verdichtete bauliche Nutzungen nur noch an sorgfältig ausgewählten Orten und in begrenzter Zahl zugelassen werden." Lieber Fred, solche Einsicht hat meine früher geäußerte Hoffnung, daß es am Ende noch einmal mit Frankfurt gut ausgehen kann, natürlich bestärkt. Jetzt müssen wir sehen, ob der Nachfolger des Oberbürgermeisters unsere Problematik erkennt und bereit ist, das Vermächtnis Möllers zu erfüllen. Er wird es nicht leicht haben. Es ist möglich, daß man Rudi Arndt, zur Zeit Finanzminister des Landes Hessen, bitten wird, den Amtsstuhl im Römer zu übernehmen. Arndt, 1927 in Wiesbaden geboren, ist eigentlich ein echter Frankfurter. Er wuchs hier auf, besuchte die Liebig-Schule, studierte an der Johann Wolfgang Goethe-Universität und lebte in Frankfurt, bis er 1956 in den Hessischen Landtag einzog. Rudi Arndt ist heute 44 Jahre alt, hat also noch Durchstehvermögen. Da er mit großer Wahrscheinlichkeit unser Oberbürgermeister werden wird, muß er mit uns und wir mit ihm auskommen. Wir wünschen uns, daß er seine Tatkraft einsetzt, um Frankfurt zu jener Zukunft zu verhelfen, die sein Vorgänger nur noch andeuten konnte, eben die „menschliche Stadt". Diese Stadt wäre heute nicht so dynamisch, so voll wirtschaftlichem Schwung, wäre nicht die Prägekraft Frankfurts, das seine Vitalität aus der

jahrhundertelangen Auseinandersetzung zwischen Bürgern, Patriziat und Kirche bezieht. Frankfurt, Du magst das Deinen Kindern einmal erklären, ist aus dem Willen seiner Bürger gewachsen, verdankt keinem Fürsten, keinem Bischof Wohlstand, Sicherheit und Kultur. Es gibt nicht viele Städte auf der Welt, an denen man die emanzipatorische Kraft des heute soviel verlästerten Bürgertums so zu studieren vermag wie an Frankfurt. Als Länder und viele Städte noch unter der Vormundschaft des Feudalismus und des Klerus standen, drängte das Bürgertum dieser Stadt bereits an die Luft der großen Freiheit. Wir haben keinen besseren Zeugen für die vitale Natur dieser Stadt als Goethe. Noch im feudalen 18. Jahrhundert schrieb er hier in Frankfurt mit dem Goetz die Absage an den Absolutismus. Du kennst das berühmte Zitat: „Er aber sage seinem Herrn, . . . "
Da sprach einer aus dem Volk von Frankfurt, und er sprach's nicht aus Lust am Vulgären. Er meinte es als Absage an den Untertanengeist, den er selbst als Minister in Weimar in jene Ecke verwies, wo er hingehört.
Als Goethe noch in der Vaterstadt weilte, begann Johann Friedrich Städel, der Kaufmannssohn und spätere Bankier, „Malereien, Kupferstiche und andere Kunstsachen" zu sammeln. Mit zunehmendem Alter wuchs auch seine Sammlung in seinem Haus am Roßmarkt. Er gibt zahlreiche Belegstellen dafür, daß Goethe während seiner Reisen an Rhein und Main in den Jahren 1814/15 neben anderen Kunst- und Raritätenkabinetten auch die Städelsche Sammlung besuchte und mit dem alten Herrn diskutierte. Städel hat mit einer Stiftung, wie Du Dich erinnern magst, seine Sammlung und dazu 1,1 Millionen Gulden für das „Städelsche Kunstinstitut" hinterlassen. Das nach ihm benannte Museum, heute am Mainufer in Sachsenhausen wieder aufgebaut, war meines Wissens das erste aus einer bürgerlichen Kunstsammlung hervorgegangene Museum der Welt. Alle früheren sind bekanntlich von Königen und Fürsten gegründet worden. Aber in Frankfurt waren die Bürger Könige, die nicht nahmen, sondern gaben. Aus Bürgergeist ist auch der weltberühmte Palmengarten entstanden, noch heute eine der Sehenswürdigkeiten Europas. Du weißt, daß der Frankfurter Zoo, den man die „größte Schule Hessens" nennt, von Bürgern gegründet und finanziert worden ist, und so auch sind, mit Ausnahme der Städtischen Galerie, alle Museen aus Bürger-Initiative entstanden. Gleich, ob Du an das Historische Museum denkst, für dessen Neubau jetzt die Frankfurter Sparkasse von 1822, wie man hört, eine ansehnliche Summe spenden wird, oder ob Du Dich an das Museum für Vor- und Frühgeschichte erinnerst, das heute im Holzhausenschlößchen residiert, oder ob Dir das Museum für Kunsthandwerk einfällt, dem heute am Schaumainkai ein altes schönes Bürgerhaus als Heimat dient, immer steckt Bürgergeist dahinter, der Wunsch, der Heimatstadt und ihrer Kultur etwas zu hinterlassen, was Bestand hat und in der Bildung und Erziehung weiterhilft. Zu dieser Kategorie der bürgerlichen Kulturinstitute gehört ebenso das Frobenius-Institut wie das Völkerkunde-Museum. Es gehört dazu die Stadt- und Universitätsbibliothek, eine Zusammenlegung der alten, aus Bürgergeldern erstandenen Stadtbibliothek und der Schenkung Rothschildbibliothek. Beide zusammen haben heute an der Bockenheimer

Teil des alten Peterskirchhofes

Landstraße, gegenüber der Universität, eine neue Heimat, die schließlich auch – wie alles letzten Endes – aus den Steuermitteln der Bürger finanziert worden ist.
Ich muß ein paar Tage verreisen und schreibe Dir später einmal, wie es um unsere Kultur steht.

Dein Heinrich

Frankfurt am Main, den 2. Februar 1972

Lieber Fred, daß Frankfurt eine Metropole ist, wie ich Dir im vorletzten Brief bereits versicherte, haben wir natürlich auch den zahlreichen Banken zu verdanken, der Börse, der berühmten Frankfurter Messe, unseren Mainhäfen und dem Flughafen. Bitte entschuldige, aber langsam beginne ich mich zu schämen, es sieht so aus, als wolle ich Frankfurt in den Himmel heben, denn die Zahlen, die nun kommen, verdeutlichen wiederum einen ersten Rang dieser Stadt in der Bundesrepublik. Du erinnerst Dich, ich habe nicht hinterm Berg gehalten, als es galt, die negativen Entwicklungen aufzuzeigen. Mit der gleichen Ehrlichkeit muß ich nun auch diese Stadt loben.
Frankfurt ist ein Bankenzentrum par excellence geworden. 217 Kreditinstitute domizilieren in der Stadt. Hamburg hat beispielsweise nur 138 aufzuweisen und München 111. Daß die Deutsche Bundesbank in

Frankfurt residiert, erwähnte ich schon. Sie hat draußen auf der Ginnheimer Höhe, an der Wilhelm-Epstein-Straße ein neues Gebäude errichtet; zum Glück nicht zu hoch, so daß die Taunuswinde noch in die Stadt kommen und vor allem unseren schönen Grüneburgpark bestreichen können. Durch die Bundesbank – sie ist Deutschlands Notenbank – wird in Frankfurt die hohe Geldpolitik mitbestimmt. Das neue Geld wird dort in Auftrag gegeben. Frankfurt allerdings bleibt trotz dieser und der vielen anderen Banken, darunter große ausländische Geldinstitute, die am höchsten verschuldete Stadt der Bundesrepublik. Wir beherbergen auch die bedeutendsten ausländischen Kreditinstitute. Im Augenblick sind Verhandlungen im Gange, eine sowjetische Ost-West-Handelsbank in Frankfurt einzuquartieren. Frankfurt ist immer noch das „Goldloch", wie Luther schon gesagt hat.
Lieber Fred, wenn der Wittenberger Mönch heute käme und den hektischen Börsenbetrieb im Gebäude der Industrie- und Handelskammer sähe, würde er zweifellos seine Schelte verdoppeln, denn Frankfurt hat die bedeutendste Wertpapierbörse Deutschlands. 3251 Wertpapiere werden zur Zeit an der Frankfurter Börse amtlich gehandelt. Der Gesamtbetrag der an der Frankfurter Wertpapierbörse zugelassenen in- und ausländischen Aktien stellt sich im Augenblick auf nominal 63,8 Milliarden Mark. Die Zahl der in Frankfurt zugelassenen Rentenwerte beläuft sich auf 2934. Das Gesamtvolumen des Umlaufs der zugelassenen festverzinslichen Wertpapiere beträgt jetzt annähernd 90 Milliarden Mark. Die Frankfurter Wertpapierbörse hat zum Beispiel eine Renditenübersicht entwickelt, die wöchentlich einmal veröffentlicht wird. Die Börsen-Daten-Zentrale GmbH gibt sie heraus. Überhaupt ist das Veröffentlichungswesen von Daten des Börsenhandels in Frankfurt entsprechend gut entwickelt. Eine elektronische Datenverarbeitungsanlage ermöglicht eine zentrale Abrechnung aller Börsengeschäfte. Vielleicht interessiert es Dich:
Von Januar bis September 1971 haben die bundesdeutschen Börsen insgesamt 20 116 Millionen Mark umgesetzt. Davon hat die Frankfurter Wertpapierbörse allein 8740 Millionen auf sich gezogen. Dies sind 43 Prozent. Ausländische Wertpapiere wurden im gleichen Zeitraum für 3136 Millionen umgesetzt. Auf Frankfurt entfielen davon 2352 Millionen, also 75 Prozent. Ich könnte Dir noch eine Menge Vorteile aufzählen, die die Börse aufweist, immer aber komme ich auf eine Vorrangstellung Frankfurts. Der Präsident der Industrie- und Handelskammer, Fritz Dietz, hat einmal gesagt, Frankfurt sei die Stadt der Superlative. Da hat er recht! Wenn Du meine früheren Briefe noch einmal überdenkst, wirst Du aber auch seine Behauptung bestätigen können, daß dieser Stadt leider die Atmosphäre fehle. Dies wird von vielen Einheimischen, vor allem aber von Fremden beklagt. Freilich ließe sich dagegen einwenden, daß Frankfurt auch noch seine schönen Seiten hat. Ich werde im nächsten Brief ein wenig darüber plaudern und berichten, wo Frankfurt noch schön ist, noch eine Sonnenseite hat. Im Augenblick aber steht weiterhin Frankfurts Stellung als Metropole zur Diskussion. Und da wäre zu sagen, daß in unseren Mauern 40 Lebensversicherungsunternehmen, 20 Kranken-

Treppenhaus im Senckenberg-Museum

versicherungsunternehmen und 55 Schadens- und Sachversicherungsfirmen domizilieren. Darunter sind berühmte ausländische Versicherungsfirmen, die hier ihre Deutschland-Direktion angesiedelt haben. Allein die schweizerischen und amerikanischen Gesellschaften haben je fünf Direktionssitze für Deutschland in Frankfurt.

Daß Frankfurt noch heute an einem Straßenkreuz Europas liegt, ist eine naturgegebene Tatsache. Gewaltige Autoströme aus Skandinavien und den Beneluxstaaten sind in den Ferienzeiten auf unseren Autobahnen nach Süden unterwegs, rollen durch Frankfurt, ziehen über das Frankfurter Kreuz der Autobahn nach Karlsruhe, Stuttgart, München oder in Richtung Aschaffenburg nach Würzburg und Nürnberg. Ein Glück, daß Oberbürgermeister Miquel von 1880 bis 1888 den Hauptbahnhof in zukunftsgemäßen Dimensionen erbauen ließ. Mit seinen 24 Gleisen muß er täglich 1300 Ein- und Ausfahrten verkraften, denn Frankfurt ist ein Herzpunkt des Eisenbahnverkehrs. Rund 150 000 Reisende kommen täglich hier durch. Der Frankfurter Hauptbahnhof liegt mit seinem Verkehrsaufkommen an der Spitze aller deutschen Bahnhöfe. Nicht nur für den Reiseverkehr, auch in der Expreßgutabfertigung nimmt er eine Spitzenstellung ein. Er ist der größte Umschlagplatz der Bundesrepublik. Nach 121 Stückgutbahnhöfen schickt er täglich planmäßige Direktwagen. Aus Amerika kennst Du ja den Stückgutverkehr mit Containern. Rund 12 000 solcher Container wurden von Januar bis Oktober 1971 im speziell dafür ausgebauten Ostbahnhof abgefertigt. Dazu kamen 4600 Wechselaufbauten und 3300 Sattelauflieger. Manchmal hat man das Gefühl, Frankfurt sei der Nabel Europas. Zur Zeit gibt es Pläne für den weiteren

Ausbau einer bundesdeutschen Hochleistungsschnellbahn. Frankfurt wird im Schnittpunkt der Trassen liegen, die am Ende eine große Acht aus Schienen durch das ganze Bundesgebiet bilden werden.
Man sagt hierzulande, einer, der übertreibt, klopfe auf den Putz. Hier stehe ich und kann nichts anderes, als auf den Putz klopfen. Frankfurt hat schon in den zwanziger und dreißiger Jahren mit seinen zwei Häfen für das Rhein-Main-Gebiet eine wichtige Rolle als Umschlagplatz gespielt. Heute ist die Frequenz weitaus größer. Man rechnet mit einem Schiffsgüterumschlag von 7,5 Millionen Tonnen im Jahr, der Umschlag in den Werkshäfen der Industrie eingerechnet. Die internationale Binnenschiffahrt kann heute mit Transportkähnen bis zu 3000 Tonnen von Erlangen aus Waren bis Mainz transportieren, von dort über das gesamte Rheinstromnetz nach Frankreich, Luxemburg, Belgien, den Niederlanden oder südwärts in die Schweiz. Von all diesen Ländern aus können Schleppzüge in den Main einfahren und bis Erlangen kommen. In diesem Jahr soll es das erste Mal möglich sein, Nürnberg zu erreichen. Der Plan, den Main zu kanalisieren und bis zur Donau fortzuführen, ist weiter im Gespräch. Bis 1981 soll ein solcher Kanal fertig sein. Dann wäre über Rhein und Main das Schwarze Meer zu erreichen. Damit würde sich eine sehr alte Vorstellung realisieren. Bereits Karl der Große hat im Jahre 793 versucht, Main und Donau miteinander zu verbinden. Ein Teilstück von 1000 Fuß hatte er bereits ausgraben lassen, aber der Herbstregen zerstörte das Begonnene wieder. Ich kenne keinen besseren Beweis für Kaiser Karls Genie als diesen Gedanken einer großen europäischen Wasserstraße. Er ist noch heute aktuell, wie die Pläne zeigen. Karl der Große kam nach diesem erfolglosen Versuch mit Schiffen nach Frankfurt und ordnete von hier aus die berühmte Kirchensynode für den Sommer 794 an. Damals kamen 300 kirchliche und weltliche Würdenträger in die Pfalz Franconofurd, die in jenen Tagen wie ein Komet in die geschriebene Geschichte Europas aufstieg.
Heute, lieber Fred, steigen Jumbo-Jets täglich in den Himmel über Frankfurt. Stadtgeschichte wird nicht mehr geschrieben, sondern geschieht stündlich. Denn Frankfurt ist auch ein „Luft-Kreuz" geworden. Abgesehen davon, daß dieser Flughafen durch ständigen Umbau und Vergrößerung die Stadt viel Geld kostet und dem Umland viel Lärm bringt, über den sich die Dörfer und Städte südlich des Mains beklagen, ist er geradezu der Superlativ aller Superlative. Er ist nicht nur der mit Abstand größte in der Bundesrepublik, sondern nach Paris-Orly und London-Heathrow auch der größte des Kontinents. Es gibt eine graphische Darstellung aller Städte, die von Frankfurt aus in der Welt zu erreichen sind. Die Graphik verwirrt, aber die Zahlen machen es deutlich: 4700 Direktverbindungen nach mehr als 160 Städten in über 80 Ländern der Erde sind vorhanden. 50 Luftfahrtgesellschaften operieren vom Frankfurter Flughafen aus. Dazu kommen für den Bedarfsluftverkehr, das sind die Chartergesellschaften, noch einmal rund 100. Soeben ist eine S-Bahn-Straße nach Frankfurt im Bau mit einem großen Spezialbahnhof, einem Terminal, wie man heute sagt.

Reizvolles Alt-Sachsenhausen

Für das Jahr 1971 sind schon statistische Belege vorhanden. Danach sind 10,5 Millionen Menschen in dem vergangenen Jahr auf dem Frankfurter Flughafen eingestiegen, ausgestiegen, umgestiegen. 340 000 Tonnen Luftfracht sind von hier aus befördert worden; dazu 64 500 Tonnen Luftpost. Dabei waren auch meine Briefe an Dich; ziemlich teure Briefe, mein Lieber, denn sie wogen zuviel. Aber Deine Neugierde auf Frankfurt war mir das Porto wert. Und noch etwas: 212 000 Starts und Landungen sind im vergangenen Jahr gezählt worden, und weil es manchmal vorkommt, daß durch den Nebel, gegen den noch immer kein Mittel erfunden wurde, Fluggäste viele Stunden, manchmal auch eine Nacht warten müssen, hat ein kluger Mann an der Unterschweinstiege ein großes modernes Hotel gebaut. „Airporthotel" ist der Name. Von solchen Riesenhotels haben wir fast zehn Stück. In der Stadt, an der Gutleutstraße, so daß es an dieser Stelle den Mainhorizont bestimmt – Ihr sagt „Skyline" dazu – steht das „Intercontinental", ein Treffpunkt internationaler Geschäftswelt wie der gute alte „Frankfurter Hof", den Du noch in Trümmern gesehen hast. Nun, dies sind nur ein paar im Frankfurter Angebot, denn 122 Hotels sind registriert; dazu zahlreiche Pensionen. So ist es möglich, 11 600 Fremdenbetten zur Verfügung zu stellen. Zur Messezeit reichen diese freilich nicht aus, und die Messegäste fahren bis Rüsselsheim oder in den Taunus bis Glashütten und Schmitten, um ihr Haupt zur Ruhe zu legen. 1970 haben beispielsweise 2,5 Millionen

Menschen in Frankfurt übernachtet. 45 Prozent davon waren Ausländer, ein Beweis mehr für die Internationalität Frankfurts.
Damit Du ausreichend informiert wirst, weil heute ja die „Information" so wichtig geworden ist, daß jeder politische Hosenmatz das Wort im Mund führt, serviere ich Dir in diesem Zusammenhang noch ein paar Daten, Zahlen, Fakten. Wußtest Du, daß Frankfurt eine „Drehscheibe im Post- und Fernmeldewesen" ist? Frankfurt ist die einzige Schaltzentrale Deutschlands für den interkontinentalen Wählverkehr. So rund 80 000 Auslandsgespräche per Kabel, Satellit oder Funk werden täglich vermittelt; davon bereits 83 Prozent vollautomatisch durch Selbstwahl. Im Inlandverkehr werden je Tag etwa 1,2 Millionen Gespräche registriert. Stell Dir einmal vor, wie das täglich raunt und flüstert, schwätzt und brüllt in Frankfurts Drähten und in der Luft. Wir haben je 100 Einwohner 56,8 Sprechstellen; dann noch Tausende von Telefonhäuschen, die von rabiaten Jugendlichen oft zerstört werden. Da ich gerade beim Aufzählen bin, muß ich Dir beichten, daß sich leider auch viele Dirnen und Zuhälter in Frankfurt aufhalten. O ja, lieber Fred, Frankfurt hat viele Gesichter. Wir bemühen uns, die täglich aus aller Welt per Auto, Schiene und Flugzeug hier eintreffenden Rauschgifthändler abzufangen, was nicht immer gelingt, wie Du Dir denken kannst. So kommt es, daß Experten meinen, Frankfurt wäre auch eine europäische Rauschgiftzentrale.
Wie Du siehst, reichen die Superlative durch alle erdenklichen Lebensbereiche. Aber tröste Dich, Deine alte Heimatstadt war, wie ich kürzlich einmal anhand von Archivmaterial feststellen konnte, schon im Mittelalter nicht nur eine berühmte Messestadt, sondern auch eine Stadt, in die gern Bettler und Diebe kamen, um Geld zu machen. Es ist das eine nicht ohne das andere zu denken. Nur mehr Sicherheit wäre den Bürgern dieser Stadt schon zu gönnen.
Lieber Freund, sicher bekäme ich einen Stadtverweis und müßte – wie im Mittelalter – Urfehde schwören, wenn ich nicht jetzt auch noch zum guten Schluß meiner Lobeshymne die Messe erwähnte. Ihre Bedeutung im Mittelalter ist Dir sicher bekannt. Die Lederwarenmesse hat, wie Du vielleicht weißt, nach dem Krieg in Offenbach eine Heimat gefunden. Damals allerdings, als sie noch in Frankfurt abgehalten wurde, war sie zeitweilig ein Glanzstück des hiesigen Messegeschehens, vor allem in der 1851 eröffneten Lederhalle in der Trierischen Gasse. Im Zeitalter der Industrie ist allmählich aus der Warenmesse die Mustermesse geworden. Frankfurt wurde dann mit tonangebend in Europa mit den großen Ausstellungen, wie die Patent- und Musterschutzmesse des Jahres 1881 oder der berühmten Internationalen Elektrotechnischen Ausstellung von 1891. Ein Höhepunkt war auch die Internationale Luftschiffahrt-Ausstellung im Jahre 1909. Ich besitze einen Katalog dieser frühen großartigen Luftfahrtschau, die den Zeppelinen und der Luftfahrtballons gewidmet war. Es ist erstaunlich, was Frankfurt damals geleistet hat. Noch heute bewundern wir diese ungewöhnliche Schau auf einem Dokumentarfilm von damals. Sie fand bereits auf dem Messegelände statt, auf dem Oberbürgermeister Adickes den riesigen Kuppelbau errichten

ließ, um dort nicht nur große Ausstellungen, sondern auch die berühmten Wilhelminischen Sängerwettstreite und Mammut-Chorkonzerte abhalten zu können. Diese Messehalle, Du hast sie 1946 noch mit eingestürzter Kuppel gesehen, wurde 1919 der Mittelpunkt eines Versuchs, die alten Frankfurter Messen wieder aufleben zu lassen. Diese jährlichen zwei internationalen Mustermessen gingen 1929 in der Weltwirtschaftskrise zugrunde. Bis auf ein paar große Ausstellungen – Chemieausstellung, Kunststoffausstellung und eine Internationale Musikausstellung – fand im Dritten Reich nicht statt, was den Namen Messe verdient hätte. Erst Mitte 1946 – Du warst damals noch hier, wir standen nach Lebensmitteln an und suchten einen Schneider, der unsere Uniformen noch einmal wenden sollte, da wir zu talentlos für den Schwarzen Markt waren – hat Frankfurt begonnen, auf dem Messegelände aufzuräumen und die ersten Baracken und Zelte aufzubauen. Der Wiederbeginn startete mit dem „Haus der Technik". Ab Herbst 1948 wurde turnusmäßig die Frühjahrs- und Herbstmesse erneut aufgenommen. Freund, ich habe keine Lust, Dir jetzt auch noch zum Nachtisch des Menus unserer Superlative die Messegeschichte dieser Jahrzehnte zu servieren. Ich sage nur: Frankfurt zählt neben Köln und Hannover zu den Messestädten der Bundesrepublik und ist mit der Buchmesse im Herbst ein Weltenzentrum des Geistes in Druckerschwärze. Für Dich mag interessant sein, daß wir nicht nur im Frühjahr und Herbst die alten Messen in Glanz und Gloria haben, sondern praktisch das ganze Jahr über in Messe machen. Da gibt es Pelzmessen und Hausratausstellungen, Fachausstellungen für Bekleidungsindustrie, Kochkunstausstellungen, Hotel- und Gaststätten-Ausstellungen, Sanitär- und Heizungsausstellungen, Fachausstellungen für Molkereitechnik, Automobil-Ausstellungen und Ausstellungen für Zubehör, Chemie-Ausstellungen und Kunstfaser-Ausstellungen. Kurz, Deutschland und die Welt stellen hier aus. Eine Frühjahrsmesse zum Beispiel bringt weit mehr als 3000 ausstellende Firmen nach Frankfurt. Darunter sind fast 1000 Aussteller aus aller Herren Länder. Natürlich auch aus Amerika. Es grüßt Dich für heute

Dein Heinrich

Frankfurt am Main, den 3. März 1972

Lieber Freund, hier ist der Nachtrag zu meinem Bericht über Frankfurts kulturelles Leben. – So ganz sind wir natürlich noch nicht mit der städtischen Kulturarbeit zufrieden. Es fehlen dem Museum für Vor- und Frühgeschichte, dem Museum für Völkerkunde und dem Museum für Kunsthandwerk noch dringend benötigte Gebäude als Magazine oder für Schausammlungen. Dafür freilich ist dem Senckenberg-Museum unter Mithilfe von Land, Bund und Stiftungen etwas Erstaunliches gelungen: Direktor Professor Wilhelm Schäfer hat das reizvolle alte Haus an der Senckenberg-Anlage in vieljähriger Arbeit innen umbauen lassen, so daß man heute mit Fug und Recht sagen kann, Frankfurt hat das modernste, pädagogisch und didaktisch sowie ästhetisch eindrucksvollste naturwissenschaftliche Museum der Welt. Wenn Du kommst, mußt Du Dir das unbedingt ansehen. Ich zeige Dir dann auch den wiedererrichteten Saalhof, jenes letzte Gebäude der einstigen staufischen Reichsburg am Fahrtor, das wahrscheinlich bereits Konrad III. ab 1138 bauen ließ. Die anschließende Saalhofkapelle, von Kaiser Barbarossa in Auftrag gegeben, ist restauriert. Restauriert wurden auch die wunderschönen Fassaden des Bernusbaues und des Burnitzbaues am Mainufer gegenüber dem Eisernen Steg. Alle Gebäude wurden innen neu ausgestaltet, um einem modernen Historischen Museum zusätzlich Platz zu geben für die unendlich vielen Gegenstände aus der Vergangenheit Frankfurts. Bei der Überlegung, was ich Dir noch an Beweisen für unseren Willen zur Kultur anführen könnte, fallen mir natürlich auch unsere Theater ein. Kurz nach dem Krieg wurde im Saal der Börse und in einer Turnhalle in Sachsenhausen Theater gespielt. Es war gutes Theater, das auf diesen Behelfsbühnen zu sehen war, nicht schlechter als das, was dann im neuen Schauspielhaus an der Neuen Mainzer Straße gemacht wurde. Dort wurde zunächst einmal das frühere Schauspielhaus zur Oper umgebaut. An der Ecke, wo früher einmal das Faust-Restaurant gestanden hat, ist ab 1961 ein neues Schauspielhaus errichtet worden. Ob es ganz glücklich war, dabei die alte Schauspielhausfassade abzutragen und beide Gebäude mit einer Glasfront zusammenzubinden, ist strittig. Heute, wo Frankfurt so hypermodern und ein wenig kühl aussieht, wäre die alte wilhelminische Fassade sicher ein reizvoller Anblick. Frankfurt finanziert die Städtischen Bühnen noch immer ganz allein aus städtischen Mitteln und ist damit die einzige Großstadt in der Bundesrepublik, die allein „Thalia" ernähren muß. O ja, lieber Fred, in Frankfurt lebt immer noch ein theaterbegeistertes Völkchen. Wir haben neben den Städtischen Bühnen weitere Theater und Kabaretts, insgesamt zehn Spielstätten. Ich zähle sie auf: Kleines Theater im Zoo, Komödie, Theater am Turm, seit einem Jahr das Volkstheater, die Katakombe, das Kabarett „Die Schmiere" und das Kabarett „Resistenztheater". Fast alle erhalten Subventionen, ohne die sie nicht existieren könnten. Hoffentlich können wir uns das auf die Dauer leisten; zumindest müssen wir über die Durststrecke kommen, die U-Bahn heißt. Dann wird es wieder leichter sein, auch Kunst und Kultur mit mehr Mitteln zu unterstützen. Lieber Freund, wir haben auch in Frankfurt das Stadtarchiv noch, das Du von seinem Domizil am Weckmarkt her kennst. Es ist heute im Karmeliterkloster untergebracht, mit seinen Beständen zählt es zu den reichsten in der Bundesrepublik. Du erinnerst Dich noch daran, daß in diesem Karmeliterkloster die berühmten Fresken des Jerg Ratgeb kurz vor dem letzten Krieg restauriert worden sind. Nun, die Bomben und der Regen haben vieles davon zerstört. Die Reste an der Nordwand des Kreuzganges sind in den sechziger Jahren noch einmal für rund 200 000 Mark konserviert worden. Das Kloster ist wieder aufgebaut, ebenso das Dominikanerkloster, der Dom, die Leonhardskirche, St. Nikolai, die Peterskirche, die Katharinenkirche

Das Natur-Museum Senckenberg

an der Hauptwache. Es steht zum Glück noch immer der Eschenheimer Turm, dessen Bild jetzt leider durch ein Hochhaus gestört wird. Es stehen auch noch die alten Warten, gültige Zeugen einer großen städtischen Vergangenheit, aber leicht vergammelt. Etwas Hübsches ist uns nach dem Krieg gelungen: Der Wiederaufbau des Steinernen Hauses, ein Lieblingsgebäude von Dir, wenn ich mich recht erinnere. In diesem Gebäude ist der Frankfurter Kunstverein untergebracht, der hier seine Ausstellungen veranstaltet. Bitte verzeihe die gedrängte und drangvolle Übersicht, aber ich weiß nicht, wie ich Dir vor Deiner Ankunft sonst noch Gewißheit geben kann, daß Du nicht nur in ein völlig verändertes Frankfurt kommst, sondern daß es hier noch ein paar Dinge gibt, die schön sind.
Über das wiederaufgebaute Geburtshaus Goethes im Großen Hirschgraben und die Arbeit des Freien Deutschen Hochstiftes habe ich Dir neulich einen Sonderdruck geschickt. Wir sind stolz auf diese denkmalpflegerische Leistung. Wir sind stolz auch auf die unermüdliche Arbeit der vielen Frankfurter Kulturvereine, die in den kommenden Jahren des leeren Stadtsäckels wegen eine wichtige Rolle spielen werden. Allen voran ist die „Polytechnische Gesellschaft" zu nennen, die seit 1816 besteht, sie ist die Mutter der Frankfurter Sparkasse von 1822, die in diesem Jahr ihr einhundertfünfzigjähriges Bestehen feiert. Ein alter Verein ist auch der „Frankfurter Verein für Geschichte und Landeskunde", noch im 19. Jahrhundert gegründet und seitdem ein tätiger Wächter der Stadthistorie. Ein „Kuratorium Kulturelles Frankfurt" trägt mit zahlreichen Veranstaltungen seit zwanzig Jahren zur Erhaltung der Bürgerkultur bei. Schopenhauer-Archiv und Schopenhauer-Gesellschaft, beide von Welt-

bedeutung, dokumentieren Frankfurts Anspruch auf geistige Werte. Schopenhauer, das ist jetzt deutlich geworden, hat nicht nur hier sein Lebenswerk vollendet, die Gesellschaft, die seinen Namen trägt, hat seit Jahrzehnten hier ihren internationalen Sitz und verfügt, ähnlich wie das Freie Deutsche Hochstift, über ein Archiv als echte Forschungsstätte. Vor sechs Jahren hat sich aus dem „Bund tätiger Altstadtfreunde", den Du noch kanntest, der Verein „Freunde Frankfurts" entwickelt. Er will die Tradition pflegen und in die neue Zeit einbringen. Vorträge und Mundartabende gehören zu seinem Programm. Du brauchst also keine Sorge zu haben; wenn Du hierher kommst und noch babbeln kannst, darfst Du das ruhig tun. Wir genieren uns unserer Muttersprache nicht mehr. Sie lebt noch und wird im Augenblick durch ein „Frankfurter Wörterbuch" literarisch manifestiert. Schreib mir, lieber Freund, ob Du noch immer Freude an Konzerten hast. Der alte Saalbau ist zwar untergegangen, aber die Museumskonzerte leben weiter. Und es gibt weiter ein vielfältiges Frankfurter Musikleben mit den großen und kleinen Chören, mit Kammerkonzerten und Kirchenkonzerten. Frankfurt singt noch, klingt noch, spielt noch immer. Wenn es auch allerwärts heißt, Frankfurt sei nur eine Stadt der Industrie, der Banken, des Handels, glaube es nicht. Überzeuge Dich, wenn Du hier bist, davon, daß diese Stadt an der Stelle des Herzens keinen Geldsack hat. Ich freue mich darauf, Dir Frankfurts Bürger und Frankfurts Schönheiten zeigen zu können.

Dein Heinrich

Frankfurt am Main, den 22. März 1972

Frankfurts Fahnen hängen seit heute morgen auf Halbmast.
Lieber Fred, einen Augenblick habe ich gestutzt und mich gefragt: Wer ist jetzt wieder gestorben? Du erinnerst Dich? Es war Frankfurt, das alte Frankfurt, das starb. Vor 28 Jahren, am 22., 23. und 24. März 1944 ging die Altstadt unter. Die Bomben rissen die Häuser auseinander, und der Feuersturm fraß ein halbes Jahrtausend. Der Römer wurde zerstört – er ist Gottseidank wieder aufgebaut. Aber all die schönen mittelalterlichen Gassen mit den berühmten Häusern, wie Fürsteneck, Goldene Waage, Schwarzer Stern und das Haus zum Engel, der Rebstock, die Mehlwaage, der Hainerhof, das Wanebachhöfchen, das Salzhaus, der Nürnberger Hof, der Heyland, zerstoben in einer Nacht. Wo waren sie hin, der Alte Markt, der Tuchgaden, die Metzgerschirn, das Fünffingerplätzchen, das Roseneck? Eine Nacht hatte verzehrt, was gute, sichere Geschichte gewesen war und viel kleines Menschenglück gesehen hatte. Man mag's nicht glauben, aber wenn Du heute noch mit Frankfurtern sprichst, die dies alles gekannt, dann spürst Du, daß die Bomben und das Feuer ein Stückchen Heimat aufgezehrt haben. Das Leben – es wird einem in solchen Augenblicken immer wieder klar – vergißt die großen

Der Kuhhirtenturm in Sachsenhausen

Entwürfe. Der Ehrgeiz verlischt und die gewaltigen Pläne. Die Erinnerung weiß kaum etwas davon. Was übrig bleibt, ist das herrliche Gefühl, an der Schirn zu stehen und wie Lausbuben Wurst aus der Hand zu essen. Oder damit hinüberzugehen ins Gasthaus, wo der Ober wortlos das Besteck brachte und Bier und Äppelwein dazu. Man fühlte sich wohl in diesem Geviert aus Fachwerk und Schiefer, Blumenkästen, Straßenwinkeln und Brunnenfiguren. Es war heimlich hier und gemütlich. Diese Altstadt war ein etwas verwitterter, aber schöner alter Mantel, in dem man sich einhüllen konnte, das schönste Versteck für Erwachsene, die wieder einmal Kinder sein wollten, unkontrolliert von der uniformierten Welt der Hitlerzeit, die mit ihrem falschen Pomp im Römer begann und schuld daran ist, daß aus dem schönsten Juwel deutscher Städte, aus Frankfurts Altstadt, ein Trümmerhaufen wurde.
Lieber Fred, das Gras in den Parks und in den Anlagen, die unser Gartenamt auf hervorragende Weise pflegt, hat einen grünen Schimmer. An den Büschen und Bäumen schwillt in den Knospen die Kraft der Natur, sammelt sich, ballt sich und wird in wenigen Tagen die Hüllen sprengen, die da Winter heißen und schwere Zeit. Morgen oder übermorgen, man spürt es, werden die braunen Knospen der Magnolienbäume aufplatzen und das erste Rosa des Jahres in die Sonne treiben, die zur Zeit wie eine alte gütige Göttin die Stadt überstrahlt. Überall, wo Du hinsiehst, fühlen sich die ersten Forsythien ans Licht. Wie gelbe Kobolde werden sie morgen oder übermorgen in die Welt springen, im

Nizza, am Sachsenhäuser Mainufer, im Palmengarten und Zoo, in den letzten Vorgärten im Westend, in den Anlagen. Packe die Koffer und komme, versäume keine Stunde mehr. Du hast die Reise sowieso auf dem Plan, verlege den Abflug, denn jetzt ist Deine Stadt so schön wie nie. Da wird klar, wie weitsichtig und hellsichtig die Vorfahren waren, als sie die Wallservitut schufen, heiß verteidigt seitdem.
„Es is kaa Stadt uff der weite Welt, die so merr wie mei Frankfort gefällt", schrieb Friedrich Stoltze. Er muß es im Frühling geschrieben haben, in diesen Tagen. Alter Freund, komm, die Heimat wartet mit Amseln, die nach Würmern picken, mit Staren, die ein Nest bauen, mit Scharen von frechen Spatzen, die es hier großartig finden. Meisen klopfen an die Fenster, Finken betteln um Futter. Es gefällt ihnen in Frankfurt.
Du magst es nicht glauben, wir haben Eichhörnchen im Westend, die springen windschnell zwischen Ampelphasen über die Straßen und holen sich Nüsse. Wir haben Schwärme von Tauben und Enten und Schwäne in den Teichen der Gärten und Anlagen. Wir haben Kinder, die über die Wege tollen und fröhlich kreischen! Wir haben alte Menschen, die auf Bänken sitzen und Sonne trinken. Frankfurt hat viele Eckchen, die noch schön sind, wo Menschen Sehnsucht haben nach ein wenig Glück. Es ist in diesen Tagen genau noch so, wie Goethe es beschrieb: „Zufrieden jauchzet groß und klein: hier bin ich Mensch, hier darf ich's sein."
Freund, ich habe in diesen zwei Jahren viel geschrieben, was einem den Mut nehmen könnte, in dieser Stadt zu wohnen, aber es bleibt die Zuversicht auf eine bessere Zeit. Und was die vielkritisierte Stadtentwicklung anbelangt, so wäre zu sagen: Wir haben jetzt einen neuen Baudezernenten. Er heißt Hanns Adrian und kommt aus Hannover. Seine ersten Äußerungen machen Mut. Die Innenstadt, sagt er, dürfe nicht weiter verdichtet werden. Sie soll dem Menschen bleiben, dem Fußgänger. Adrian will noch mehr Bäume in die Stadt bringen, Frankfurt noch grüner machen, weitere echte Fußgängerzonen anlegen. Ich wünsche mir, es würde ihm gelingen, dieser Stadt ihr Flair wiederzugeben. So, daß der Fremde einmal wird sagen können, ich war in einer Stadt voller Leben, voller Wirtschaftskraft. Ich war aber auch in einer Stadt, die schön ist.
Ich möchte, daß es wieder einmal Dichter gibt, die Lieder auf Frankfurt singen. Dazu freilich muß das offizielle Frankfurt, ob es sich nun um Parteiprogramme rauft oder nicht, beitragen. Wer Frankfurt verändern will, kann es nur, wenn er den Willen hat, dem Menschen in dieser Stadt wieder eine Heimat zu geben. Wir brauchen nicht nur den gerühmten Fortschritt und den Wohlstand. Wir brauchen Frankfurt als „Zuhause".
Ich gebe die Hoffnung nicht auf und lade Dich ein. In Frankfurt ist Frühling, ein Großstadt-Frühling, wie Du ihn selten finden kannst!
Lieber Fred, es grüßt Dich herzlich Deine alte Heimatstadt und

Dein Heinrich

Fürstenberger Str.
Simon-Bolivar-Anl.
Körner-D.
Heine-Str.
Leibniz-Str.
Sömmerring-Str.
Inst.d.Univ.
Rossert-Str.
Feldberg-Str.
Inst.d.Univ.
St.Ignatius Kirche
Hochbauamt
Synagoge
Altkönig-Str.
Kirche J.Christi
Leimenrode
Amt f. Wohnungswesen
Emil-Claar-Str.
Eppsteiner Str.
Kronberger Str.
Staatl. Hochschule für Musik
Amerika-H.
Kath.Kirche
Reformierte Kirche West
Anna-Schmidt-Sch.
Volksbildungsheim
Bundesamt f. gewerbl.Wirtsch.
Theater am Turm
Bundesvermögensstelle
Dkm.
Rothschild-P.
Mozart-Pl.
Stadtbad Mitte
Bettina-Schule Gym.
Landesarbeitsamt
Zentr. f.Arb. Vermittl.
Eschenhm.T.
Bockenheimer Landstr.
Ausgl.-A.
Postamt 17
Ehem. Opern-Hs.
Land-u. Forstw. Kammer
Bundesanst.f. Flugsicherung
Fernmeldeamt 1 u.2
Elsa-Brandström-S.
Fridtjof-Nansen-S.
Opern-Pl.
Börse
Postamt 1
Börsen-Pl.
Eh.Thurn u. Taxis-Pal.
Guiollett-Pl.
Guiollett-Dkm.
Gr. Bockenheimer Str.
Finanzamt Börse
Katasteramt
Straßenbahn-Verw.
Rathenau-Pl.
An der Hauptwache
Inst.d Univ.
Westend-Pl.
Rüster-Str.
Taunus-Anl.
Lachhannes-Br.
Beethoven-Dkm.
Junghof-Str.
Goethe-Pl.
Katharinen-K.
Gutenberg-Dkm.
Roßmarkt
Liebfrauen-K.
Goethe-Gymnasium
Heine-Dkm.
Landes-Zentralbank
Finanzamt Taunus
Gr. Gallus Str.
Goethe-Hs.u. Museum
Schulamt
Berliner Str.
St. Antonius
Deutsche Bundesbank
Schiller-Dkm.
Blittersdorff-Pl.
Cantate Saal
Kaiser-Platz
Bundesrechnungshof
Pauls-K.
Rat-haus
Römer
Bethmann-Str.
Platz der Republik
Dkm. Den Opfern
Neckar-Str.
Goethe-Dkm.
Weißfrauen-Str.
Eh.Karmel.Kl.
Pol.Präs.
Düsseldorfer Str.
Autobahnamt u. OPD
Theater-Pl.
Pol.Rev.
St.Leonh.K.
Kaiser-Str.
Oper Schauspiel
Eiserner Steg
Staatl. Landesbildst.
Staatsbauamt
Mainkai
Leonhards-Werft
Postamt 3,4
Postamt 11
Postamt 2
Münchener Str.
Weißfrauen-K.
Amt f. Wirtschaft
Untermain-Anl.
Hauptbahnhof
Hist. Museum
Untermain-Br.
Museum f. Kunsthandw.
Karmelit.-Sch.
Nizza-Werft
43
Museum f. Völkerk.
Pol.
R. Wiesenhütten-Pl.
Hess. Landesst.f. Ernährungswirt.
Staatskasse
Metzler-Str.
44
Wasser-und Schiffahrtsamt
Bundespost-Museum
Landes-Vers.-Anst.Hess.
Straßenb.Wagenh.
Main
Städel-Str.
Omnibus-Bhf.
Gewerkschaften
Städelsches Kunst-Inst.
Hans-Thoma-Str.
Ev.Kirche
Baseler Str.
Schweizer Str.